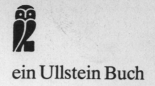

ein Ullstein Buch

D0755674

ein Ullstein Buch
Nr. 20211
im Verlag Ullstein GmbH
Frankfurt/M – Berlin – Wien
Englischer Originaltitel:
The Princess of Persia
Übersetzt von Karl H. Kosmehl

Deutsche Erstausgabe

Umschlagentwurf:
Hansbernd Lindemann
unter Verwendung einer Illustration von
Colin Andrew/Young Artists
Alle Rechte vorbehalten
© James Dillon White 1961
Übersetzung © 1981 Verlag Ullstein
GmbH, Frankfurt/M–Berlin–Wien
Printed in Germany 1981
Gesamtherstellung:
Hanseatische Druckanstalt GmbH
Hamburg
ISBN 3 548 20211 X

Juli 1982

Vom selben Autor
in der Reihe der
Ullstein Bücher:

Der junge Kelso (20052)
Kelsos erstes Kommando (20066)
Verrat an Kapitän Kelso (20076)
Kapitän Kelsos Rache (20099)
Kelso und der Nabob (20106)
Kommodore Kelso
unter Feuer (20179)

CIP-Kurztitelaufnahme
der Deutschen Bibliothek
White, James Dillon:
Die persische Prinzessin: Kapitän Kelso im
Kampf mit d. Linienschiff Lyon; Roman /
James Dillon White. [Übers. von Karl H.
Kosmehl]. – Dt. Erstausg. – Frankfurt/M;
Berlin; Wien: Ullstein, 1982.
   (Ullstein-Buch; Nr. 20211)
   Einheitssacht.: The princess of Persia
⟨dt.⟩
   ISBN 3-548-20211-X

James Dillon
White

Die persische
Prinzessin

Kapitän Kelso im Kampf
mit dem Linienschiff
Lyon

Roman

ein Ullstein Buch

1

Seit Stunden schufteten die Männer an den Pumpen. Das Wasser schwappte bereits um ihre Füße, und das Deck hatte so starke Schlagseite, daß sie nicht nur vor Erschöpfung ins Wanken gerieten.

So hatten sie in Halbstundentörns unaufhörlich gelenzt, seit die *Paragon* von dem französischen Linienschiff klargekommen war. Doch von Anfang an bestand nur geringe Hoffnung, das Schiff zu retten. Die *Paragon* sackte unweigerlich tiefer.

In stoischer Ruhe, die Hände auf dem Rücken verkrampft, das harte Seemannsgesicht ausdruckslos, stand Kapitän Kelso auf dem Achterdeck und wartete. Über dem Summen der Takelage hörte er das Janken der Pumpen, das Knattern zerfetzter Leinwand und ab und zu von der Back den Aufschrei eines Verwundeten. Wieder fragte er sich, wie lange er noch warten konnte. Bei zwei klaffenden Lecks unterhalb der Wasserlinie, die ihm die Vierundzwanzigpfünder des Franzosen auf kürzeste Entfernung verpaßt hatten, war es ein Wunder, daß die *Paragon* überhapt noch schwamm. Jeder andere Kapitän, das war ihm klar, hätte das Schiff längst aufgegeben. Das Backbordschanzkleid war nur noch knapp einen Meter über Wasser; der Großmast mit seinem Behelfsrigg und der pockennarbigen Leinwand stand in groteskem Winkel zur See. Einige höhere Seen, auch nur eine halbwegs steife Brise – und sie würden unweigerlich sinken. Klank-klank-klank jankten die Pumpenschwengel, »Pumpt, Kerls, pumpt!« brüllte der Bootsmann mit vor Erschöpfung heiserer Stimme. Träge rollte die *Paragon* in der Dünung.

»Mr. Black!«

»Sir?« Eilig kam der Midshipman* der Wache das schräg liegende Deck herauf und faßte grüßend an den Hut.

»Kompliment an Mr. Fenton – ich wünsche unverzüglich seinen Bericht.« Fenton, der Erste Offizier, war mit dem Schiffszimmermann unter Deck gegangen, um die Schäden genauer zu inspizieren. Kelso sah dem Midshipman nach, der die Kampanjeleiter hinunterrannte, und dachte an die Männer, die ertrinken würden, wenn die *Paragon* sank. Außer den Matrosen an den Pumpen und den Verwundeten, die bereits aus dem Orlopdeck heraufgebracht worden waren, befand sich die ganze Besatzung auf dem Hauptdeck. Einige wenige würden noch klarkommen. Doch er wußte aus Erfahrung, wie schnell ein Schiff

---

* Seekadett oder Fähnrich zur See, Offiziersanwärter

untergehen konnte. Noch schwamm es, nur daß es so unheimlich tief im Wasser lag; nichts deutete auf unmittelbare Gefahr hin – und im nächsten Moment konnte es schon weggesackt sein. Bolitho hätte jetzt die Gig, den Kutter und die Pinasse abfieren lassen können. Die Hälfte der Mannschaft – vielleicht mehr – würde darin Platz finden. Die anderen mußten sich auf ihr Glück verlassen, sich treibenden Spieren oder einem improvisierten Floß anvertrauen. Zögerte er jedoch zu lange, dann konnte die *Paragon* blitzschnell sinken, und alle mußten ertrinken.

Trübe sah Kelso dem Ersten Offizier entgegen, der eilig aufs Achterdeck kam. »Nun, Mr. Fenton?«

»Das Wasser steigt noch, Sir, aber nicht mehr so schnell. Ich glaube, mit einer Pumpe mehr hätten wir es schaffen können.«

»Dann müssen wir dran denken, wenn wir das nächste Mal mit der *Paragon* auslaufen.«

Fenton machte ein bestürztes Gesicht, sagte aber nichts.

»Wieviel Wasser im Rumpf?« fragte Kelso.

»Es sieht nicht sehr gut aus, Sir. Sie fängt an zu sacken, und bei dieser Schlagseite nach Backbord...«

»Wieviel?«

»In der halben Stunde, seit Sie unter Deck waren, Sir, ist es nicht merkbar gestiegen.«

»Dann halten also die Stopper. Nun, wenn wir weiter so lenzen können...« Er brach ab und starrte zur leeren Kimm.

»Verzeihung, Sir, aber Sie glauben doch nicht, daß wir eine Chance haben? Ich meine, sie ist doch vollgelaufen. Selbst wenn sich das Wetter hält und die See ruhig bleibt, schwimmt sie höchstens noch eine Stunde – allenfalls zwei oder drei.«

»Ihre Ansicht.«

»Mit allem Respekt, Sir, das ist einfach gesunder Menschenverstand. Wie toll wir auch pumpen, sie sackt immer tiefer, bis sie schließlich absäuft. Ich sagte zwar, sie schwimmt noch eine Stunde, aber es kann auch sein, daß sie sich nicht so lange hält, Sir. Sie kann ebensogut jede Minute sinken.«

»Zum Teufel mit Ihnen«, brach Kelso aus, »denken Sie, ich weiß nicht, was für ein Risiko ich eingehe?«

Fenton, der schon einige Jahre unter Kelso gefahren war, jedenfalls lange genug, um großen Respekt vor seiner Seemannschaft zu hegen, bedauerte sofort, was er gesagt hatte. »Pardon, Sir. Ihre Entscheidung will ich natürlich nicht in Frage stellen.«

Kelso zwang sich, gelassen zu sein, die Angst um seine geliebte *Paragon* zu verdrängen. »Wenn wir noch einen Stopper machen... Und alle verfügbare Leinwand setzen... Wenn wir weiter lenzen und sich das Wetter hält... Dann kann sie noch tagelang schwimmen.«

Fenton sagte nichts dazu. Wenn die *Paragon* doch sank, dann schien es ihm ziemlich gleichgültig, ob sie das heute oder morgen tat.

»Wissen Sie denn nicht, wie nahe wir der Küste sind?« fragte Kelso. »Mit einem intakten Schiff und gutem Wind könnten wir Bombay bis zum Abend in Sicht haben. Nicht weit hinter der Kimm liegt die Malabarküste. Da müssen Schiffe sein, Company-Schiffe.* Ich weigere mich, die Hoffnung aufzugeben, so lange wir noch eine Chance haben.«

Mit eiserner Ruhe, schweigend, wartete Fenton ab.

»Wir setzen noch einen Stopper«, entschied Kelso. »Sagen Sie durch: Mr. Carter zu mir!«

»Aye, aye, Sir.« Aber Fenton zögerte beim Abgehen.

»Nun?«

»Die Segelkammer ist leer, Sir. Sie wissen doch – eine Menge Tuch ist uns über Bord gegangen.«

»Dann lassen Sie Mr. Adams holen. Wir schlagen das Großsegel ab und die Breitfock auch – oder was noch davon übrig ist.«

»Aber, Sir, wir machen auch jetzt kaum einen Knoten Fahrt. Ohne Untersegel treiben wir nur noch.«

»Viel mehr tun wir ja auch jetzt nicht. Hauptsache, sie schwimmt.«

»Aye, aye, Sir.«

»Sobald Sie den Befehl gegeben haben«, fuhr Kelso fort, »suchen Sie sich eine Bootsbesatzung aus. Freiwillige finden Sie bestimmt genug. Ich schicke Sie mit der Barkasse voraus.«

Diesmal konnte Fenton seine Überraschung nicht verbergen. »Wohin, Sir?«

»Sie sollen Hilfe holen.«

Trotz der furchtbaren Erschöpfung nach zwei Tagen fast ununterbrochenen Borddienstes waren die Wache und jeder arbeitsfähige Mann bald in Aktion. Die Barkasse wurde mit Proviant und Wasser beladen und dann an den Davits ausgeschwungen. Die Groß- und

---

* Die East India Company, eine mächtige halbstaatliche Handelsgesellschaft, von der die Kolonisierung Indiens ausging. Sie verfügte über eine Anzahl sogenannter Kampfschiffe, die ›Marine‹, zum Schutz der schwer beweglichen Kauffahrer (d.Übs.).

Fockrah wurden abgefiert und die Untersegel abgeschlagen. Auf dem Hauptdeck wurden die beiden Segel ausgebreitet und unter Aufsicht des Segelmachers zusammengenäht. Ein Dutzend Männer schnitten Tampen zurecht, zerlegten sie in ihre Kardeele und nähten die Wolle in die Leinwand ein – sie bildete die eigentliche Masse des Stoppers. Unter Deck arbeiteten die Pumpen immer noch im gleichmäßigen Takt.

Fenton kam noch einmal aufs Achterdeck und meldete: »Barkasse ist klar zum Aussetzen, Sir.«

»Recht so.« Kelso trat an die Schanz und sah, daß die Barkasse knapp einen Fuß überm Wasserspiegel hing. »Wenigstens werden Sie keine Schwierigkeiten beim Abfieren haben.«

»Nein, Sir.«

»Wieviel Proviant und Wasser nehmen Sie mit?«

»Rationen für vier Tage, Sir – reicht auch eine Woche, wenn Not am Mann ist.«

Kelso nickte. »Sie kennen unseren Standort. Wenn sich das Wetter hält, können Sie in zwei Tagen an der Küste sein, in drei Tagen in Bombay. Andererseits – das Wetter kann umschlagen...«

»Ich weiß, Sir.«

»Hoffen wir, daß es sich hält, um unser aller willen.«

»Amen kann man dazu nur sagen, Sir.«

»Sie können Glück haben und von einem unserer Schiffe gesichtet werden.«

»Jawohl, Sir.«

»Oder Sie laufen einem französischen Schiff vor den Bug.«

Fenton, der von seinem Kapitän gewohnt war, daß dieser stets alle Möglichkeiten in Betracht zog, konnte sich ein Lächeln nicht verkneifen. »Ich werde beten, daß das Glück mit uns ist, Sir, und daß ich Ihnen in einigen Tagen Hilfe bringe.«

Die Barkasse wurde abgefiert und legte sich alsbald mit ihren beiden Segeln hoffnungsvoll vor die Brise. Ein Dutzend Riemen glänzten in der Sonne, das Boot nahm Fahrt auf in Richtung Osten. Mancher neidvolle Blick folgte ihm, denn es gab kaum einen Mann auf der *Paragon,* der nicht gern seine Situation gegen einen harten Sitz und einen langen Pull in der Barkasse eingetauscht hätte. Bootsmann Carter und Adams, der Zweite Offizier, merkten das wohl und trieben die Leute wieder an die Arbeit. Die doppelte Leinwand, zusammengelegt und fest ausgestopft, war endlich fertig. Leinen wurden durch die Stroppen gezogen, und Kelso befehligte persönlich das schwierige

Manöver, die Leinwand unterm Kiel nach achtern zu ziehen, bis sie vom Sog des einströmenden Wassers in die tiefe Wunde der Bordwand gezogen wurde.

Und auch dann hatte Kelso noch keine Ruhe. Er war seit mehr als achtundvierzig Stunden auf den Beinen, während des ganzen Gefechts und der zwei langen Tage und Nächte ihrer Flucht. Nach dem Kampf gab es hunderterlei zu tun, alles gleich lebenswichtig und unaufschiebbar, um die *Paragon* flott zu halten. Die gebrochenen Spieren, Stage und Wanten mußten gekappt, ein Behelfsgroßmast aufgeriggt und an dem abgebrochenen Stumpf festgelascht werden; Segel mußten zu Stoppern umgenäht und unter den Rumpf gezogen werden; wo das alte Tuch zerfetzt oder in der Hitze des Gefechts völlig verschwunden war, mußten neue Segel angeschlagen werden; Kanonen, die zerschossen oder von den Lafetten gestürzt waren, mußten wieder in Stellung gebracht werden; mit Bimstein mußte Blut und Splitter von den Decksplanken gescheuert werden. Und schließlich waren noch die Toten da – Männer, die er sich als Freiwillige von den Schiffen der Company geholt hatte oder die er von mürrischen, mißtrauischen Gepreßten zu Seeleuten gemacht hatte, die stolz auf ihre Seemannschaft und die Kampfkraft der Company-Marine gewesen waren. Das war immer das Schlimmste – die Reihe anonymer Leichen, jede in ihre Hängematte genäht; die eiligen Gebete, bei denen sein Empfinden zwischen dem Leid um die Toten und den lautstarken Forderungen des Lebens hin- und hergerissen wurde.

Jetzt mußte er sich um die Lebenden oder gerade noch Lebenden kümmern.

Foulkes, der Schiffsarzt, machte seinem Herzen Luft: »Ich kann mit den Verwundeten nichts anfangen, Sir. Das Schiff krängt dermaßen, daß sie auf den Planken bis ans Schott rollen. Es sind Schwerverwundete dabei, wie Sie wissen, Sir. Johnson hat einen Arm und ein Bein verloren. Ich habe mehrere Amputationen vornehmen müssen, Sir, und «

»Haben Sie keine Assistenten?«

»Zwei Mann, Sir. Wie Sie wissen, habe ich einen Maat verloren.«

»Ich gebe Ihnen noch zwei Mann. Mehr kann ich nicht entbehren.«

»Danke, Sir; nur – mit allem Respekt – ich brauche mehr als nur Hilfskräfte.«

»Was denn noch?«

»Na ja, Sir – wenn ich irgendwo eine horizontale Fläche hätte, wo ich operieren und diese Männer ordentlich versorgen könnte ...«

Vor überwältigender Müdigkeit und Erschöpfung schloß Kelso die Augen. »Sie müssen einsehen, Mr. Foulkes, daß es auf dem ganzen Schiff keine horizontalere Fläche gibt als die Back, wo Sie jetzt arbeiten. Das Orlopdeck ist voll Wasser, und das Hauptdeck wäre kaum der richtige Ort für Verwundete.«

»Nein, Sir, aber –«

»Sie müssen Ihre Phantasie gebrauchen, Mr. Foulkes.«

»Meine – Phantasie?«

»Laschen Sie sie an Deck fest, Mann! Ziehen Sie Spieren oder Leinen von Schott zu Schott. Lieber Himmel, Sie können doch bestimmt etwas improvisieren, damit sie nicht durcheinanderrollen!«

Kaum war er Foulkes los da erschien Bootsmann Carter auf dem Achterdeck. Er faßte an den Hut und sagte: »Entschuldigung, Sir, aber werden wir noch lange lenzen müssen?«

»Zwei, drei Tage«, entgegnete Kelso, »vielleicht länger.«

Carter versuchte gar nicht seine Erschütterung zu verbergen. »Zwei, drei *Tage*, Sir?«

»Mindestens. Sorgen Sie am besten für weitere Ablösung. Meine Empfehlung an Mr. Lillywhite, und fragen Sie ihn, ob er einige seiner Seesoldaten entbehren kann.«

»Die sind schon dabei, Sir – und ich habe jeden Mann an die Pumpen gestellt, der nicht anderswo arbeitet. Die Leute sind schrecklich müde, Sir.«

»Kann ich mir vorstellen. Damit sie wieder munter werden, schlage ich vor, ihnen zu sagen: Sobald sie aufhören zu pumpen, sinken wir.«

Er wandte sich zur Querreling, von wo aus er Dreiviertel der Steuerbordseite übersehen konnte. Das Schanzkleid stand knapp über der Wasserlinie – dahinter erstreckte sich die glitzernde See bis zur Kimm. Nichts, gar nichts war zu sehen. Sogar die Barkasse war verschwunden.

»Sir?«

Er wandte sich um und den unmittelbaren Problemen zu; der Rudergänger hatte ihn angerufen. »Entschuldigung, Sir, aber ohne die Untersegel und bei dem bißchen Wind spricht sie nicht mehr aufs Ruder an.«

»Ich weiß«, nickte Kelso, »das war zu erwarten. Wenn der Wind auffrischt, wird sie bald genug reagieren. Inzwischen müssen wir eben treiben.«

Wenn der Wind auffrischt, dachte er, kommt es kaum noch darauf an, ob sie reagiert oder nicht. Bei der ersten Bö kentert sie.

Hall, der Schiffszimmermann, kam die Kampanjeleiter herauf und hatte anscheinend denselben Gedanken. »Verzeihung, Sir, aber hat Ihnen Mr. Fenton gesagt, wie's unter Deck aussieht?«

»Ja.«

»Das Wassergewicht ist ungeheuer. Sie hat so starke Schlagseite, daß ein paar Seen genügen, damit wir sinken.«

»Das ist auch mir klar.«

»Schon eine frische Brise reicht, Sir.«

»Ich weiß.«

Der Zimmermann zögerte, als könne er nicht recht glauben, daß Kelso die volle Bedeutung seiner Meldung verstand. »Sie ist vollgelaufen, Sir, und sackt ab.«

»Woher wissen Sie das? Haben Sie den Wasserstand kontrolliert seit wir den neuen Stopper angebracht haben?«

»Nein, Sir, aber mit allem Respekt, ich habe die Lecks gesehen. Kein Stopper der Welt könnte verhindern, daß Wasser einströmt. Und da sie schon so tief liegt —«

»Die Pumpen arbeiten, und so lange sie mit dem einströmenden Wasser Schritt halten, besteht die Chance, daß wir flott bleiben.«

»Eine Chance ja, Sir, aber wenn wir das Schiff aufgeben —«

»Ich gebe es nicht auf«, erwiderte Kelso mit aller Überzeugung, die er fühlte. »Ich beabsichtige, die *Paragon* nach Hause zu bringen, und das können Sie der Besatzung weitersagen. Die Malabarküste liegt nur einen knappen Tag voraus. Ich habe bereits Mr. Fenton um Hilfe geschickt. Es besteht keinesfalls die Absicht, das Schiff aufzugeben, Mr. Hall; das machen Sie sich bitte klar.«

2

Vier Tage später wurde die *Paragon* in den Hafen von Bombay geschleppt. Die Nachricht von ihrem tapferen Kampf war ihr voraus geeilt. Eine große Menschenmenge erwartete sie mit Willkommens- und Hochrufen. Die Kanonen des Forts donnerten Salut, als sie lahmgeschossen in den Hafen hinkte, Sonnenschirme und Taschentücher flatterten wie Schmetterlinge den Kai entlang; sogar die Kapelle des Gouverneurs spielte auf.

»Sie bereiten uns wirklich einen königlichen Willkomm, Sir«, sagte Leutnant Adams, und sein frisches junges Gesicht strahlte vor Freude. Fenton, der der *Paragon* mit dem Hilfsschiff entgegengesegelt war, wußte schon, daß sein Kommandant darauf nicht antworten würde. In den zehn Jahren, seit er auf der *Paragon* fuhr, hatte er nie erlebt, daß Kelso auf Beifall der Menge Wert legte. Er kannte ihn als verschlossenen, wortkargen Mann, der die fast unerfüllbaren Aufträge, die das Los eines Kapitäns der bewaffneten Marine waren, völlig unbewegt entgegennahm. Ja, er war im Lauf der Jahre sogar noch zurückhaltender geworden, so daß es manchmal schien, als habe er sich aller Gefühle entäußert – der Freude, des Zornes, der Angst, besonders der Angst. Je mehr Fenton diese Veränderung bemerkte, umso mehr verwandelte sich sein Respekt in echte Zuneigung. Er kannte die Geschichten, die an den Teetischen von Bombay und Madras umliefen. Er wußte, daß man Kelso nachsagte, er litte an einer tiefen und unerwiderten Liebe zu Margaret Clive, der Gattin seines besten Freundes. Nun, sie kamen gerade von der Eskorte eines Konvois nach St. Helena zurück, einem Geleit mit dem Ziel Heimat; zu den Passagieren hatten Colonel Clive und seine Gattin gehört.

»Haben Sie so was gesehen, Sir?« fragte Adams eben.

»Die sollen sich ihr Geschrei lieber sparen, bis wir in der Werft liegen«, erwiderte Fenton, womit er – und zwar wörtlich – die Antwort gab, die Kelso gegeben hätte.

In der Tat hatte Kelso immer noch verzweifelte Angst um die *Paragon.* Sie lag jetzt so tief im Wasser, daß man glaubte, jede übermäßige Bewegung an Deck würde ausreichen, um sie zu versenken. Langsam, Fuß um Fuß, schleppte das Hilfsschiff sie in die Einfahrt. Schwerfällig und unlenksam wie ein Faß schaukelte die *Paragon* in die Bucht. Jetzt noch eine Kabellänge*, dann war sie in Sicherheit. Das Hilfsschiff hatte die Leinen losgeworfen, nachdem es so weit auf das Land zugesegelt war, wie es irgend riskieren konnte; und nun kam es auf den Rudergänger an, auf die Strömung, die auflaufende Tide und am meisten auf ihr Glück.

»Stetig!« brüllte Kelso mit vor Erschöpfung heiserer Stimme. »Klar bei Wurfleinen!«

Mit der Gezeitenströmung kamen sie näher, immer näher, und schließlich riskierte ein kräftiger Matrose den Wurf. Ein Laut der Enttäuschung lief durch das Schiff, als die Leine gut zwanzig Meter zu kurz fiel.

»Stetig! Versuch's noch mal!«

Wieder nahm der Matrose die aufgeschossene Leine hoch und

* = 0,1 sm = 185,3 m

kletterte auf den Bugspriet hinaus, im Reitsitz den richtigen Moment abwartend. Zunächst jedoch hinderten die Schiffsbewegungen ihn am Werfen. Die *Paragon* stieß den Bug hoch und rollte dann so stark nach Steuerbord, daß ihr Deck sekundenlang fast wieder horizontal lag. Dann legte sie sich torkelnd wieder auf die Seite.

»Jetzt!«

Der Matrose schwang den Tampen mit dem Bleigewicht und ließ ihn dann fliegen. Die Leine fiel ins flache Wasser, und sofort griffen ein paar Dutzend eifrige Hände nach ihr. Jubel an Deck – in wenigen Minuten waren die Festmacher belegt, und die *Paragon* wurde unter dem Knirschen der Winden ins sichere Dock verholt.

»Wir haben's geschafft, Sir!« schrie Adams voller Freude – zu erregt, um darauf zu achten, was sein Kapitän für ein Gesicht machte.

»Aye, geschafft«, stimmte Fenton ein, behielt aber Kelso scharf im Auge. Doch der junge Mann war nicht so leicht einzuschüchtern und redete weiter auf Kelso ein: »Wenn Sie gestatten, Sir, meine Gratulation... Ein prachtvolles Beispiel von Seemannschaft!«

Endlich nahm Kelso von Adams Notiz und wandte sich um, verständnislos, als seien die Worte zu schwierig für sein müdes Hirn. Doch dann hatte er begriffen und nickte. »Danke. Ich werde dafür sorgen, daß die Company erfährt, was Sie geleistet haben – Sie alle.«

Eine Stunde später war er an Land und machte seinen Bericht.

Für die *Paragon* bedeutete das Einlaufen in Bombay wirklich eine Heimkehr, denn sie war ein in Indien gebautes Schiff, eines der ersten aus der neuen Werft von Bombay. Das dicke Teakholz ihres Rumpfes, das nach zehn Jahren immer noch so fest war wie am Tag des Stapellaufs, strafte die Fachleute Lügen, die stur behaupteten, ein Kriegsschiff dürfe nur aus Eiche sein. Kelso hatte auf vielen Schiffen Dienst getan – als Midshipman, Leutnant und schließlich als Kapitän –, doch nie hatte er ein Schiff so geliebt wie die *Paragon*. Trotz seiner Erschöpfung wachte er früh am nächsten Morgen auf und zog die Gaze-Vorhänge beiseite, um hügelabwärts zur Werft zu blicken. Schon zu dieser frühen Stunde wimmelten bereits Arbeiter um die Lecks im Rumpf der *Paragon*.

Der Anblick heiterte ihn mächtig auf. Ohne Schiff fühlte er sich als halber Mann, fast wie ein Soldat ohne Gewehr; und da sich der Krieg gegen die Franzosen immer noch hinzog und ständig Gefahr von Piraten und Freibeutern drohte, würde der Hafenkommandant bestimmt seine ganze Autorität einsetzen, damit die *Paragon* so schnell wie möglich wieder seeklar wurde. Kommodore James, der Oberkommandierende, in dessen Villa Kelso zur Zeit wohnte, war ebenfalls ein verläßlicher Verbündeter, wenn die Frage der Priorität von Handels- oder Kampfschiffen im Rat der Company zur Sprache kam. Kelso war froh, daß er bereits an diesem Morgen zum Gouverneur und seinen Ratsherren bestellt war.

Es war noch früh, als er zusammen mit Kommodore James zum Büro der Company ging. Die Sonne stand noch tief, doch der Tau war bereits verschwunden, und auf dem Fahrweg lag zolltiefer Staub. Kelso schritt rasch aus, denn er wollte die Fragen des Gouverneurs möglichst bald hinter sich gebracht haben und dann frühzeitig auf der Werft sein. Mehr als einmal mußte er sich bremsen, damit der Kommodore Schritt halten konnte.

»Sie brauchen nicht so zu rennen«, grunzte dieser. »Die Herren lassen uns höchstwahrscheinlich ja doch warten.«

»Acht Uhr, sagten Sie?«

»Aye.«

»Ich warte bis halb neun. Dann gehe ich zu meinem Schiff.«

Der Kommodore grinste – es war nur eine leichte Entspannung seiner Gesichtsmuskeln – und erwiderte: »Wie ich sehe, haben Sie sich nicht verändert. Immer noch keinen Respekt vor hohen Tieren?«

»Ich verstehe Sie nicht, Sir. Man will doch nichts als meinen Bericht.«

»Ja – aber auf Company-Art. Da müssen ein paar Reden gehalten werden – Anerkennungsvotum und dergleichen. Und dafür müssen Sie sich dann bedanken; das erwartet man von Ihnen.«

»Ich befehlige ein Kampfschiff«, erwiderte Kelso. »Sie werden, hoffe ich, mit mir der Meinung sein, daß es bald wieder in See gehen muß. Ich kann meine Zeit nicht mit Reden vergeuden.«

Sie näherten sich einer Gruppe von Company-Schreibern, jungen Leuten, die Platz machten und sich verbeugten, als sie vorbeigingen. »Guten Tag, Sir, Captain Kelso, Sir!« Kelso tippte an den Hut und eilte weiter.

»Sehen Sie«, sagte der Kommodore, »Sie sind ein Held – im Moment jedenfalls.«

Kelso verhielt weder den Schritt, noch überhörte er die Warnung, die in der Bemerkung des Kommodore lag. Er hatte viele Jahre unter Kommodore James gedient, lange genug, um auch seine Andeutungen zu verstehen und zu wissen, daß er sein Freund war. Also schwieg er und wartete ab, denn der Kommodore würde ihm schon sagen, um was es sich handelte. Und da kam es auch schon.

»Erinnern Sie sich an Saville?« fragte der Kommodore.

Kelso warf ihm einen forschenden Blick zu. »Von der *St. George*?«

»Aye.«

Kelso erinnerte sich noch recht gut daran, wie er vor vier Jahren mitten im Indischen Ozean auf zwei Ostindienfahrer gestoßen war, die *Surrey* und die *St. George*. Ein drittes Schiff, die *Fair Wind*, war von Angria-Piraten gekapert worden. Die *Surrey* war so schwer beschädigt, daß sie sich kaum noch über Wasser halten konnte. Die *St. George* war praktisch unbeschädigt.

»Ja, ich erinnere mich.«

»Auch an das, was Saville passiert ist?«

Kelso nickte sachlich. »Er wurde der Feigheit vor dem Feind angeklagt. Der Untersuchungsausschuß sprach ihn schuldig.«

»Und dann?«

»Er schoß sich eine Kugel durch den Kopf.«

Schweigend schritt Kommodore James weiter, die Schultern gebeugt, den Kopf vorgestreckt, und schließlich mußte Kelso die Frage stellen. »Was hat das mit mir zu tun?«

»Sie waren derjenige, der dem Ausschuß das Material lieferte. Ihre Aussage trug dazu bei, daß Saville für schuldig befunden wurde.«

»Das ist nicht wahr«, entgegnete Kelso, »das wissen Sie doch selbst. Sie waren ja dabei. Ich verteidigte ihn, so gut ich konnte.«

»Aye, das stimmt. Nicht Ihre Aussage hat Saville den Hals gebrochen, sondern die harten Worte des Kommodore Lisle von der *Fair Wind*.«

»Der ebenfalls tot ist.«

»Aye. Aber gerade deswegen könnten jetzt manche Leute auf die Idee kommen, daß Sie es waren, der den jungen Saville in den Tod getrieben hat.«

Stur erwiderte Kelso: »Ich habe kein schlechtes Gewissen, denn ich weiß, daß es unwahr ist. Und ich frage immer noch: »Was hat das mit mir zu tun? Kommodore Lisle ist tot, der junge Saville ist tot —«

»Aye, der ist tot. Aber sein Bruder lebt.«

»Sein Bruder?«

»Sir Roderick Saville, das neue Mitglied unseres Rates. — Während Sie unterwegs waren, ist er berufen worden. Sie werden ihn heute kennenlernen. Er gehört der Ratskommission an, die Ihren Bericht beurteilen wird.«

3

Die Voraussage des Kommodore erwies sich als falsch, denn als sie das Verwaltungsgebäude der Honourable East India Company betraten, wurde ihnen bedeutet, Gouverneur und Rat seien bereits in der Sitzung. Vielleicht wäre es genehm zu warten? fragte ein Lakai. Dürfte er ihnen ein Glas Wein oder Sherry bringen?

»Du kannst uns den Gouverneur oder uns zu ihm bringen«, sagte der Kommodore und nahm damit Kelso das Wort aus dem Mund.

Der Lakai verschwand mit einer Verbeugung, kam aber nach kurzer Zeit mit einem jungen, hochnäsigen Adjutanten wieder. Waren sie beim Gouverneur angemeldet? Sie waren sich doch darüber klar, daß der Gouverneur außerordentlich wenig Zeit hatte?

Kommodore James war nicht groß und wirkte durch seine gebeugte Haltung noch kleiner; er sprach leise, und seine hellen, meerblauen Augen blickten sanft – aber das täuschte. »Ich wäre Ihnen verbunden, wenn Sie uns dem Gouverneur unverzüglich melden würden«, sagte er scharf.

Oh, meinte der junge Mann, aber das sei ganz unmöglich.

Plötzlich beugte sich der Kommodore vor und stieß dem hochnäsigen jungen Mann den Zeigefinger vor die Brust. »Sind wohl neu hier?« fragte er. »Sie heißen?«

»Aber ich muß doch sehr bitten!«

»Der Name!«

»Äh – Fortescue.«

»Und Sie wissen, wer ich bin?«

»Wie ich hörte –«

»Kommodore James, Oberbefehlshaber der bewaffneten Handelsmarine. Verstanden?«

»Gewiß, aber –«

»Und sagen Sie gefälligst ›Sir‹ zu mir!«

»Jawohl, Sir.«

»Und das ist Captain Kelso von der *Paragon*, dienstältester Kapitän unserer Marine. Und Sie sagen ›Sir‹ auch zu ihm. Verstanden?«

»Ja. Jawohl – Sir.«

»Dann ab mit Ihnen, und melden Sie Seiner Exzellenz, daß wir da sind.«

Rot vor Unwillen stolperte der junge Mann hinaus, und sie hörten das Stimmengewirr, als er die Tür des Sitzungssaales öffnete.

»Garantiert hat man gerade über Sie gesprochen«, sagte der

Kommodore, während sie warteten. »Es muß schon was Besonderes vorliegen, daß sie so früh zusammenkommen.«

»An meiner Geschichte ist doch nichts Besonderes«, erwiderte Kelso. »Es war bloß ein Routine-Geleit, nur kam dann dieses unglückliche Treffen mit den Franzosen.«

»Unglücklich – aye.«

Kelso sah ihn scharf an. »Was soll das heißen?«

»Nun«, entgegnete der Kommodore mit unverbindlichem Achselzucken, »es war wirklich ein Unglück, das müssen Sie zugeben. Wir haben ein Schiff verloren, und Ihre *Paragon* wurde kampfunfähig. Und der Franzmann ist weg.«

»Aber, zum Donnerwetter, unser Gegner war doch die *Lyon*, ein Vierundfünfzig-Kanonen-Linienschiff. Sie wissen –«

»*Ich* weiß«, erwiderte der Kommodore, »mir brauchen Sie das nicht zu erzählen.«

»Und?«

»Bouchier müssen Sie überzeugen und die Herren seines Rates – und zwar nachdem Master Saville zu ihnen gesprochen hat.«

Kelso vergaß seine Erschöpfung nach all den durchgemachten Strapazen und wurde einfach wütend. »Das ist es also! Weil er mir den Tod seines Bruders anlastet, wird er versuchen, mich schlecht zu machen?«

Der Kommodore schüttelte den Kopf. »Das weiß ich nicht. Wirklich nicht. Ich habe dies und das gehört. Gestern abend war eine Party. Alle haben Sie gepriesen, alle wollten auf Ihre Gesundheit trinken – alle bis auf Sir Roderick Saville.«

»So?«

»Er wollte damit noch warten, sagte er. Erst müsse er mehr über diese Geschichte wissen – zum Beispiel, wieso ein verdammter Franzose eines unserer Schiffe in den Grund bohren und ein zweites schwer havariert in die Flucht schlagen konnte.«

Kelso antwortete nicht, aber die Linien seines Kinns traten noch stärker hervor, und seine Augen wurden plötzlich dunkel.

»...nur was ich so gehört habe«, fuhr der Kommodore fort. »Der Kerl kann ja auch besoffen gewesen sein.«

Kelso nickte. »Danke für den Hinweis.«

Aber wenigstens über die Gefühle des Gouverneurs konnte kein Zweifel bestehen. Er kam mit ausgestreckten Armen ins Vorzimmer und ergriff Kelsos Hand. »Mein lieber Kelso! Ich brauche Ihnen nicht zu sagen, wie sehr ich mich freue, Sie zu sehen. Kommen Sie herein, bitte, und berichten Sie uns.« Er legte Kelso den Arm um die Schultern und führte ihn über den Korridor zum Sitzungssaal.

»Gentlemen«, rief er, »sicher haben Sie alle den Wunsch, Captain Kelso, den dienstältesten Kapitän unserer bewaffneten Marine, willkommen zu heißen.«

Kelso beobachtete sie genau, als sie aufstanden und ihm entgegenkamen. Emmerson und Raikes kannte er gut. Emmerson war außerordentlich beleibt, ein gutmütiger Mann, außer wenn er zuviel getrunken hatte; Raikes ein magerer, humorloser Schotte mit einem Stich ins Religiöse. Aber es war der dritte Mann im Rat, Saville, der Kelsos Aufmerksamkeit in Anspruch nahm.

Als er sich widerwillig aus seinem Sessel erhob – das war wie ein Stück Vergangenheit. Er glich seinem Bruder wie ein Zwilling. Kelso erkannte die ruhelosen Augen wieder, den schwächlichen, jetzt in störrischer Abneigung verzerrten Mund. Und damit die Duplizität der Ereignisse vollkommen war: In eben diesem Raum hatte der junge Saville gesessen – war das wirklich erst vier Jahre her? –, als er sich wegen Feigheit und Unfähigkeit verantworten mußte. Vielleicht sogar in demselben Sessel.

»Wollen wir also Platz nehmen«, schlug der Gouverneur vor, »und Kelsos Bericht anhören.«

Mit spürbarer Nervosität setzten sie sich, Kelso zur Rechten des Gouverneurs und Kommodore James etwas weiter unten am Tisch, Sir Roderick Saville direkt gegenüber.

»Also«, begann der Gouverneur, »ich denke, Sie können sicher sein, Kelso, daß wir nicht nur froh sind, Sie zu sehen, sondern auch voller Bewunderung dafür, wie Sie ein sinkendes Schiff über den halben Ozean geführt haben.« Bedeutsam blickte er in die Runde. »Ich glaube, da sind wir alle einer Meinung?«

Füßescharren, zustimmendes Gemurmel, aus dem – es hörte sich ganz merkwürdig an – die einzelnen Kommentare deutlich herausklangen: Raikes' nüchternes »Hört, hört«, Emmersons »Großartig«, des Kommodores »Ein verdammtes Wunder!« Von Saville verstand Kelso nur die Worte ». . .sinkendes Schiff . . .« Was er sonst noch sagte, blieb undeutlich.

»Danke«, sagte Kelso, doch ohne sich ein Lächeln zu gestatten.

»Nun, Captain«, fuhr der Gouverneur fort, »würden wir gern Ihre Schilderung der Geschehnisse hören.«

»Gewiß«, begann Kelso. »Meine Order lautete, wie Sie wissen, einen Konvoi von Indienfahrern nach St. Helena zu eskortieren.«

18

»Wieviele Indienfahrer?« Knapp und feindselig warf Saville seine Frage über den Tisch.

»Fünf Indienfahrer, voll beladen, die *Bombay*, die *Bengal*…«

»Geleitschutz war unbedingt notwendig«, warf der Gouverneur ein. »Der Wert der Ladungen betrug nicht weniger als eine Viertelmillion Pfund. Und die See ist voller Piraten und Freibeuter, gar nicht zu reden von den französischen Kriegsschiffen, die ungehindert von der Ile de France* auslaufen –«

»Wie stark war die Eskorte?« fragte Saville.

»Nur zwei Schiffe«, antwortete der Gouverneur, »Kelsos *Paragon*, eine Company-Fregatte, hier in Bombay gebaut, und die *Malabar*, eine bewaffnete Schaluppe der Company, unter Captain John Vikkers.«

»Reichte das aus?« fragte Saville.

»Mehr war nicht drin«, mischte sich Kommodore James ein. »Die Company ist ja so verflucht geizig, daß sie kein Geld für neue Schiffe bewilligt. Zwei Fregatten habe ich und vier Kriegsschaluppen, und –«

»Aber sicher kommt es mehr auf die Qualität der Schiffe an«, warf Saville ein, »als auf die Anzahl, die Sie auf See haben.«

»Nun, was das betrifft«, entgegnete der Kommodore, »so gibt es in dieser Größenordnung auf der ganzen Welt keine besseren Kampfschiffe. Sogar die Kriegsschiffe des Königs können nicht besser kämpfen – oder auch nur gleich gut«, setzte er nach kurzer Pause hinzu.

Saville schwieg einen Moment, dann sagte er leise, aber deutlich: »Mag sein. Aber das läßt sich nicht leugnen: Als es tatsächlich hart auf hart kam, haben Ihre Schiffe nicht allzu viel gezeigt.«

»Verdammte Unverschämtheit! Selbstverständlich leugne ich das!«

Kelso beugte sich in seinem Sessel vor. »Vielleicht kann ich Mr. Saville das erklären«, sagte er unbewegt.

»Sir Roderick Saville, wenn Sie nichts dagegen haben!«

Kelso neigte den Kopf. »Bitte um Entschuldigung. Offenbar verstehe ich ebensowenig von Titeln wie Sir Roderick von Schiffen.«

»Ich weiß Bescheid mit Schitten!« schrie Saville wütend. »Ist meine Familie nicht seit über hundert Jahren mit der Company verbunden? War nicht mein eigener Bruder…« Unvermittelt hielt er inne, weil er merkte, wohin seine unbedachten Worte ihn führten.

»Das hier sind merkwürdige Gewässer«, fuhr Kelso mit einer

---

*alter Name der Insel Madagaskar

gewissen Freundlichkeit fort, »und die kämpfenden Schiffe der Company sind entsprechend gebaut. Meine *Paragon* zum Beispiel ist als Fregatte klassifiziert, aber gegen ein Kriegsschiff derselben Klasse würde sie klein wirken. Andrerseits ist sie leicht: Ich kann sie näher unter Land segeln, als jedes Kriegsschiff es riskieren würde. Sie manövriert sich leicht, so daß der Mangel an schweren Geschützen auf kurze Distanz keine so große Rolle spielt. Und natürlich ist sie schnell.«

»Was höchst angenehm beim Ausreißen ist«, ergänzte Saville höhnisch.

Ein Schweigen entstand, bei dem die Atmosphäre der Feindseligkeit und Spannung unvermittelt so dicht wurde, daß etwas geschehen mußte. Emmerson und Raikes warteten gespannt auf eine Explosion: der Kommodore war bereits rot vor Wut. Saville, der jetzt aus seiner Feindseligkeit kein Hehl mehr machte, wollte Kelso anscheinend provozieren.

Doch Kelso bereitete allen eine Überraschung. Flüchtig lächelnd antwortete er: »Ja, wenn jemand ausreißen *wollte* – für ihn wäre die *Paragon* ein außerordentlich geeignetes Schiff.«

Der Gouverneur seufzte hörbar und erleichtert; dann übernahm er die Leitung des Gesprächs. »Ich meine, Gentlemen, wir sollten Kelso seine Geschichte erzählen lassen. Was hat sich zum Beispiel auf der Hinreise ereignet? Ich weiß nur, daß der Konvoi sicher nach St. Helena gelangt ist, was schließlich die Hauptsache war. Ging das ohne Zwischenfall ab?«

»Nicht ganz«, antwortete Kelso.

»Sie wurden angegriffen?«

»Nicht angegriffen. Wir sichteten einige Schiffe.«

»Französische?«

»Haben auch sie die Schwänze gezeigt und sind ausgerissen?« fragte Saville höhnisch.

»So ähnlich.«

»Es würde mich interessieren«, sagte Saville darauf, »was genau Sie mit französischen Schiffen meinen. Wenn es Kriegsschiffe waren, hätten sie sich kaum die Chance entgehen lassen, fünf fette Kauffahrer zu schnappen. Was waren das für Schiffe? Zwei Küstenlugger vielleicht?«

»Es waren keine Lugger«, antwortete Kelso knapp; und als sich zeigte, daß er nicht die Absicht hatte, diese nackte Feststellung zu erweitern, mußte der Gouverneur fortfahren: »Auf jeden Fall haben sie sich zurückgezogen. Und Sie kamen glatt nach St. Helena?«

»Ja.«

»Kein schlechtes Wetter? Keine Stürme?«

»Wir hatten Glück. An den Zyklonen segelten wir vorbei, obwohl wir später hörten, nur eine Woche vorher hätte es einen ganz bösen gegeben, und zwar in Höhe der Ile de France – so weit nördlich! Das einzige Schlechtwetter, das wir hatten, war ein bescheidener Sturm am Kap.«

»Ihr Glück hielt jedoch bei der Heimreise nicht an?« fragte Saville.

»Nein.«

Zögernd fragte der Gouverneur: »Vielleicht können Sie uns etwas über dieses Treffen erzählen?«

Kelso nickte. »Vom Kap an liefen wir vor dem Südwest-Passat und waren zwei Tagereisen vor Malabar, als wir diesen großen Zweidecker sichteten. Zuerst hielten wir ihn für ein britisches Kriegsschiff, doch als wir näherkamen, sahen wir, daß es die *Lyon* war, ein Vierundfünfziger.«

»Unter Kapitän de Rocheville«, fügte Kommodore James hinzu. »Bester Kommandant, den die Frogs* in diesen Gewässern haben. Auch das beste Schiff, würde ich sagen.«

»Sie stand in Luv vor Ihnen?« vermutete der Gouverneur, »so daß Ihnen der Fluchtweg abgeschnitten war?«

Bei dieser Frage konnte man Kelso zum ersten Mal anmerken, daß er sich ärgerte. »Nein, Sir«, antwortete er, »und von Flucht war überhaupt keine Rede.«

»Aber Sie waren ihr an Feuerkraft unterlegen, erheblich unterlegen. Es wäre völlig gerechtfertigt gewesen, wenn Sie sich abgesetzt hätten.«

»Wir entschlossen uns, anzugreifen.«

Jetzt beugte sich Saville vor. »War das Ihre Entscheidung, Captain?«

»Jawohl.«

»Und Captain Vickers?«

»Er stimmte zu.«

»Dafür gibt es natürlich keinen Beweis?«

»Wie meinen Sie das? Drücken Sie sich bitte klar aus, Sir!«

»Der arme Vickers ist, soviel ich weiß, gefangen oder gefallen. Es sieht so aus, als hätten wir nur Ihr Wort dafür, daß dieser ziemlich

---

* eigentlich ›frogeaters‹ = Froschesser. Spottname für die Franzosen wegen ihrer Vorliebe für Froschschenkel (d.Übs.).

tollkühne Angriff in gemeinsamer Verantwortung unternommen wurde.«

»Die Verantwortung lag bei mir als dem rangältesten Offizier«, entgegnete Kelso. »Wenn Sie es noch deutlicher hören wollen – ich war es, der für beide Schiffe den Angriffsbefehl gab. Selbst wenn Vickers anderer Meinung gewesen wäre, hätte ich den Angriff trotzdem befohlen.«

Befriedigt lächelnd lehnte Saville sich zurück und blickte bedeutungsvoll in die Runde. »Danke, Captain.«

Wieder trat eine ungemütliche Stille ein; doch falls Kelso merkte, daß man von ihm eine Rechtfertigung erwartete, so tat er doch nichts dergleichen. Schließlich war es Emmerson, der gutmütige, dicke Emmerson, der das Schweigen brach: »Bestimmt hatte Kelso sehr gute Gründe dafür, daß er zwei Company-Schiffe aufs Spiel setzte.«

»Es ging darum, ob man zwei Schiffe riskieren sollte bei dem Versuch, den gesamten Schiffsverkehr der Company an dieser Küste zu sichern. Zuletzt hatten wir von der *Lyon* gehört, daß sie vor der Coromandel-Küste operierte. Das war lästig, aber wenigstens hatte man dort Kriegsschiffe, groß genug, um es mit ihr aufzunehmen. Hier an der Malabarküste haben wir nur die bewaffnete Handelsmarine. Solange die *Lyon* nicht erobert oder versenkt ist, gibt es für englische Schiffe in diesen Gewässern keine Sicherheit.«

Zustimmendes Gemurmel; und Raikes sagte in seinem gemessenen, klerikalen Tonfall: »Ich für mein Teil finde, daß es eine weise Entscheidung war.«

»Die einzig mögliche Entscheidung«, bekräftigte Emmerson. »Wenn sich ein französisches Linienschiff in diesen Gewässern herumtreibt, ist kein englisches Schiff mehr sicher. Kelso hat die richtige Entscheidung getroffen. Er mußte sie zu vernichten suchen.«

Saville machte eine lässige, mißbilligende Handbewegung. »Was Sie anscheinend übersehen haben«, sagte er, »ist die Tatsache, daß er sie eben nicht vernichtet hat. Im Gegenteil – die *Lyon* ist immer noch sehr munter, wogegen wir zwei wertvolle Kampfschiffe verloren haben.«

Niemand hätte den ironischen Akzent auf der ersten Silbe von ›Kampfschiffe‹ überhören können; doch Kelsos Stimme war immer noch unbewegt: »So schlecht, wie Sie denken, ist das Ergebnis nun auch wieder nicht. Gewiß, wir haben die Schaluppe verloren, aber die *Paragon* ist noch da.«

»Ah ja«, murmelte Saville, »stimmt, Sie kamen davon.«

»Und für die *Lyon* ist es nicht ohne Schaden abgelaufen.«

Diese erfreuliche Andeutung gab dem Gouverneur neuen Auftrieb. Er hatte, Ellbogen auf dem Tisch, mißmutig vorgeneigt dagesessen; nun richtete er sich auf und schlug die Hände zusammen. »Ausgezeichnet, Kelso! Prächtig! Ich hätte doch gewettet, daß kein französischer Kommandant mit Ihnen die Klinge kreuzen und unbeschädigt davonkommen kann. Sagen Sie – war sie stark havariert?«

»Wir griffen sie vor dem Wind an«, erklärte Kelso, »obwohl wir wußten, daß wir zwei Meilen lang den Nachteil unserer geringeren Reichweite in Kauf nehmen mußten.«

»Linienschiffe fahren Vierundzwanzigpfünder«, erläuterte der Kommodore.

»Ich gab Befehl, aufzukreuzen«, fuhr Kelso fort, »aber die französischen Kanoniere waren besser, als wir gedacht hatten – oder sie hatten mehr Glück. Sie konzentrierten ihr Feuer auf die *Paragon,* und lange bevor wir in Schußweite waren, verloren wir den Klüverbaum, auch das Vorbramsegel wurde glatt weggeschossen.«

»Aber Sie fuhren weiter.« Es war eine Feststellung, keine Frage. Konzentriert und mit dem Ausdruck tiefer Befriedigung hörte Kommodore James zu.

»Wir fuhren weiter. Die *Malabar* lag inzwischen achteraus, und es war reines Pech, daß sie einen Treffer bekam, der vermutlich für uns bestimmt war – mittschiffs unter der Wasserlinie.«

Raikes schnalzte bedauernd mit der Zunge. »So mußten Sie also beidrehen.«

»Beidrehen? Wir befanden uns mitten im Gefecht. Wir kamen jetzt in Schußweite, und ich konnte bald meine eigenen Geschütze in Aktion treten lassen.«

»Aber wenn die *Malabar* sank –«

»Gewiß, sie sank, wenn das auch zu der Zeit noch nicht zu sehen war. Wir warteten mit der Feuereröffnung so lange wir konnten.«

»Der größtmöglichen Wirkung wegen«, ergänzte der Kommodore.

»Die Frogs kamen jetzt richtig in Schußweite und –«

»Wie lange dauerte es, bis Sie bemerkten, daß die *Malabar* sank?« fragte Saville.

»Wie lange? Das kann ich nicht sagen. Ich wiederhole: Wir befanden uns mitten im Gefecht.«

»Versuchten Sie zu halsen?«

Kelso starrte ihn ehrlich überrascht an. »Ich glaube, die Situation ist Ihnen nicht klar. Wir hatten direkte Feindberührung. Unser einziger

Gedanke war, in Schußweite zu kommen, den Feind wenn möglich auszumanövrieren und zu vernichten.«

»Nur darauf kam es Ihnen an?«

»Selbstverständlich.«

»Sie versuchten nicht, Überlebende der *Malabar* zu retten?«

»Nein.«

»Sagen Sie, Captain«, fuhr Saville fort, »wenn es andersherum gekommen wäre – hätten Sie dann nicht erwartet, daß der Kapitän der *Malabar* den Versuch gemacht hätte, Ihre Leute zu retten?«

Jetzt wurde Kelso zum ersten Mal erkennbar ärgerlich. »Nein«, sagte er, »das hätte ich nicht. Man merkt, Sir, daß Sie niemals an Bord eines Kriegsschiffes waren. Hat das Gefecht einmal begonnen, dann ist nur eins von Belang – die Vernichtung des Feindes.«

»Aber nach dem Gefecht, Captain?«

»Das ist etwas andres. Jeder Kommandant würde einem anderen Schiff zu Hilfe kommen.«

»Selbst wenn das zusätzliche Gefahr für ihn bedeutet?«

Kelso machte eine ärgerliche Handbewegung. »Das hat gar nichts damit zu tun. Auf einem Kriegsschiff rechnet man mit Gefahr.«

Saville sah auf die Tischplatte nieder, hob dann die Augen und sah Kelso treuherzig an. »Tatsache ist jedoch, Captain, daß Sie nach dem Gefecht Ihren Kameraden nicht zu Hilfe geeilt sind. Sie ließen sie ertrinken.«

4

Die Anschuldigung war endlich heraus. Obwohl schon vorher klar geworden war, worauf Saville mit seinen Fragen abzielte, wirkten die Worte, nachdem sie gefallen waren, wie ein schwerer Schock. Der Gouverneur, der Kelso schon viele Jahre kannte und ihn wegen seines Mutes aufrichtig bewunderte, schlug die Hände zusammen und stieß ein paar unverständliche Protestworte hervor. Kommodore James starrte wütend über den Tisch auf Saville. Emmerson und Raikes warteten irritiert darauf, daß Kelso sich verteidigte.

Kelso saß gelassen da und sah seinen Ankläger an, ohne eine Miene zu verziehen. Nur seine auf der Tischplatte verkrampften Hände verrieten seine innere Erregung. Ruhig erwiderte er: »Ich denke, Gentlemen, Sie werden gut daran tun, die ganze Geschichte zu hören, ehe Sie Ihre Schlüsse ziehen.«

Eilig nickte der Gouverneur. »Ganz recht! Ganz recht! Weiter mit Ihrem Bericht, Kelso!«

»Wir kamen also mit unseren eigenen Geschützen in Schußweite heran«, berichtete Kelso weiter. »Jetzt hatten wir den Windvorteil, und mit etwas Glück konnten wir den Feind angehen, bis wir so nahe waren, daß alle unsere Geschütze zum Tragen kamen.«

»Einschließlich der Achterdeck-Karronaden?«

»Einschließlich der Achterdeck-Karronaden.«

»Mein Gott! Da haben Sie aber Glück gehabt!« sagte der Kommodore. »Bei dem Kaliber und nur einiger Treffsicherheit hätte die *Lyon* Sie in Grund bohren können.«

»Das hätte sie auch beinahe geschafft«, entgegnete Kelso. »Wir wechselten Breitseiten – zwei von uns folgten auf eine von drüben – und es wurde deutlich, daß sie zu schwer war. Wir kreuzten hoch an Steuerbord, um an ihrer Leeseite längszulaufen; da bekamen wir ihre Vierundzwanzigpfünder aus allen Rohren. Unser Rumpf war halb aus dem Wasser, als sie uns zweimal nahe der Wasserlinie traf.«

»Und als Sie wieder auf ebenem Kiel lagen, waren die Lecks unter Wasser?« mutmaßte der Kommodore.

»Ja. Wir begannen, Wasser einzunehmen.«

»Aber Sie kämpften weiter?«

»Selbstverständlich. Im Nahkampf. Die *Paragon* lief jetzt schwerer und lag tief im Wasser. Normalerweise können wir, wie Sie wissen, schnell angreifen, ein paar Breitseiten abgeben und uns wieder außer Schußweite manövrieren. Jetzt konnten wir nur noch kriechen.«

Saville, der mit deutlicher Ungeduld zugehört hatte, unterbrach: »Da haben Sie sich also entschlossen auszureißen?«

Kelso starrte ihn an. »Nein, Sir. Ich entschloß mich, am Feind zu bleiben und weiterzukämpfen.«

Saville schwieg dazu, aber sein Schulterzucken kam dem Ausdruck seines Unglaubens so nahe, wie es sich ein Gentleman nur erlauben konnte.

»Sie kämpften also«, sagte der Kommodore. »Eine kleine Company-Fregatte gegen ein Vierundfünfziger-Linienschiff.«

»Ich hatte keine andere Möglichkeit«, erwiderte Kelso. »Wir konnten jetzt sehen, daß die *Malabar* außer Gefecht war. Wenn jemand diesen Franzosen unschädlich machen würde, dann nur wir.«

»Und haben Sie das geschafft?« fragte der Gouverneur. »Sie sagten doch, die *Lyon* wurde schwer beschädigt.« Offensichtlich wollte er aus der Niederlage wenigstens ein paar Körnchen Trost herausholen.

»Wir haben sie mehrmals beharkt«, berichtete Kelso weiter. »Sie bekam mindestens zwei Einschüsse unter der Wasserlinie, und ihre Breitfock fiel über Bord.«

»Gut! Gut!«

»Dann gerieten wir so dicht aneinander, daß wir fast Rumpf an Rumpf lagen: praktisch ein Schußwechsel auf Nulldistanz. Es sah so aus, als würden wir uns gegenseitig in die Luft jagen. Die *Paragon* war jetzt kaum noch zu manövrieren, und ich hielt es für unsere einzige Hoffnung, ein Enterkommando hinüberzuschicken. Da begann die *Lyon* sich plötzlich von uns zu lösen. Wir feuerten immer noch weiter, doch als sie abtrieb, konnte ich sehen, daß ihr Vormast einen Treffer kurz über Deck bekommen hatte. Er war nach achtern gefallen und hatte die Takelage bis zum Großmast mitgerissen. Die *Lyon* schwamm wohl noch, aber sie war noch manövrierunfähiger als die *Paragon*.«

»Großartig!« rief der Gouverneur. »So konnten Sie sich also absetzen?«

Wieder machte Kelso ein ehrlich überraschtes Gesicht. »Absetzen, Sir? Aber jetzt konnten wir doch mit der *Lyon* machen, was wir wollten – oder beinahe.«

»Beinahe?«

»Wir kamen achterlich von ihr auf. Ich hatte immer noch den Windvorteil – nur nutzte er mir nicht viel. Die *Paragon* lag so tief im Wasser, daß sie kaum noch aufs Ruder reagierte.«

»Doch Sie griffen weiter an?«

»Jawohl, Sir. Wir halsten langsam nach Steuerbord, krängten dabei aber so stark, daß Craig nicht genügend Elevation bekam. Wir beschossen die *Lyon* ein-, zweimal mit den Achterdeckkarronaden, doch als sie abdrehte, erwischte sie uns mit ihren Heckgeschützen.«

»Lange Achtzehner«, erläuterte der Kommodore. »Schweres Eisen.«

»Unser Großmast wurde getroffen und kam von oben.«

»Entmastet, bei Gott!« rief der Kommodore. »Ein Wunder, daß Sie nicht gesunken sind.«

»In der nächsten Stunde hatten wir alle Hände voll zu tun, um uns über Wasser zu halten. Ich ließ Leckstopper machen und sie über die Einschüsse ziehen. Aber wir machten stark Wasser, die Pumpen kamen nicht mit, und eine Zeitlang stand es auf der Kippe, ob wir sinken würden oder nicht.«

»Aber Sie haben es geschafft.«

»Offiziere und Mannschaft waren großartig. Das Deck sah natürlich aus wie ein Schlachtfeld. Der Großmast schleppte nach – zum Glück an Steuerbord, sonst wären wir bestimmt gesunken.«

»Und die *Lyon*?« fragte der Gouverneur. »Sie hat Sie nicht in Frieden gelassen?«

»Die *Lyon* konnte nicht mehr, Sir. Sie war selbst in großen Schwierigkeiten. Bis sie ihren Fockmast gekappt und ihren Großmast gesichert hatte, war sie gut zwei Meilen abgetrieben. Sie zeigte keine Neigung, den Kampf fortzusetzen.«

»Und was war mit der *Malabar*?« fragte Saville. »Mit dem Schiff, das Sie im Stich ließen, als es sank?«

»Die *Malabar* war weg«, antwortete Kelso.

»Gesunken?«

»Ja.«

»Und die Mannschaft?«

»Sie wurde wenigstens teilweise gerettet. Zwei Boote waren zu Wasser – ein Kutter, glaube ich, und die Barkasse.«

»Nun, die sind wenigstens in Sicherheit«, meinte der Gouverneur.

»In Sicherheit!« Savilles leidenschaftlicher Ausruf schreckte sie alle auf. »Von wegen in Sicherheit! Die nicht ertrunken sind, sind Gefangene – Gefangene in irgendeinem stinkenden französischen Stützpunkt! Ein wertvolles Schiff ist versenkt und ein zweites schwer beschädigt. Soll man da gratulieren? Sollen wir Kelso etwa ein Vertrauensvotum für diesen überstürzten und geradezu verhängnisvollen Angriff aussprechen?«

»Sie junger Narr«, sagte der Kommodore kühl.

»Ein Narr bin ich, ja? Nun, wenigstens ist mein Urteilsvermögen nicht so verfälscht, daß ich aus einer schändlichen Niederlage einen Sieg mache!«

Geduldig erläuterte der Gouverneur: »Ein französisches Linienschiff ist von zwei kleinen Schiffen unserer Gesellschaft angegriffen und schwer beschädigt worden. Eines unserer Schiffe ist allerdings gesunken, das andere aber ist davongekommen und dank Kelsos großartiger Seemannschaft sicher in den Hafen gelangt. Können Sie das als Niederlage bezeichnen?«

»Das kann ich, und das tue ich auch. Erstens war Kelso, wie er selbst zugibt, für den Angriff verantwortlich.«

»Stimmt.« Kelso sprach mit einem Unterton gefährlicher Schärfe, doch Saville war zu wütend, um das zu bemerken.

»Zweitens hat er meines Erachtens die Lage falsch beurteilt und

27

sich im Gefecht als unfähig erwiesen – wenn nicht noch Schlimmeres vorliegt.«

»Reden Sie klar und deutlich«, forderte Kelso. »Was meinen Sie damit – wenn nicht noch Schlimmeres vorliegt?«

Jetzt erst schien Saville zu spüren, daß es gefährlich wurde. Kelso hatte sich, die Arme auf der Tischplatte, die Fäuste geballt, weit vorgebeugt. Sein häßliches Preisboxergesicht war starr und drohend. »Drücken Sie sich klarer aus!« wiederholte er seine Aufforderung.

»Nun . . .« Ein schwaches Flackern des Widerstandes erschien in Savilles Augen, erstarb jedoch sekundenschnell. »Ich meinte natürlich falsche Beurteilung der Lage. Sie hätten nicht angreifen dürfen.«

»Und Unfähigkeit?«

»Sie haben sich auf diese Sache eingelassen, ohne an das Ihnen unterstellte andere Schiff zu denken. Sie benahmen sich wie – wie ein Ire bei einer Prügelei. Sie hätten abdrehen und sich zurückziehen müssen, als die *Malabar* den Treffer bekommen hatte.«

»Das ist Ihre Ansicht!«

»Aye!« schrie Saville wütend. »Und eine Ansicht, die auch andere teilen werden!«

»Das bezweifle ich«, sagte der Gouverneur. »Sie sind neu hier, Saville. Sie kennen Kelsos Ruf nicht. Falsche Lagebeurteilung? Auslachen wird man Sie vor Gericht!«

»Dann sind Sie bereit, es darauf ankommen zu lassen?«

»Worauf ankommen zu lassen?« Der Gouverneur blickte mißtrauisch in die Runde. »Ich verstehe Sie nicht.«

»Auf eine Untersuchungskommission«, erwiderte Saville mit großem Behagen. »Wollen doch mal sehen, wie Kelsos Ruf das übersteht.«

»Das ist doch nicht Ihr Ernst!« rief der Gouverneur aus.

»Und warum nicht, Sir?«

»Weil . . . Also das kommt überhaupt nicht in Frage!«

»Wieso? Hat die Company nicht einen Verlust erlitten? Ist es nicht vernünftig, daß man den Mann, der für diesen Verlust verantwortlich ist, auffordert, seine Handlungen zu rechtfertigen?«

»Nein!« erwiderte der Gouverneur entschieden.

»Und warum nicht?«

»Weil wir bereits alle Informationen haben, die wir brauchen. Kelso hat uns berichtet. Ich für mein Teil halte es für einen großartigen Bericht, der ihm alle Ehre macht. Ich bin gern bereit, ihn ohne weitere Fragen zu akzeptieren.«

»Ich auch«, sagte Emmerson.

Raikes nickte schnell. »Und ich ebenfalls.«

Wiederum sprang Saville erregt auf. »Ich wußte es ja«, schrie er. »Hier halten alle zusammen. Sie sind entschlossen, den Ruf Ihres tapferen Kelso durch nichts beeinträchtigen zu lassen – des Helden von Gheria! Des tapferen Befehlshabers von Bengalen! Robert Clives Freund! Sie wollen ihn vor den Folgen seiner Handlungen schützen! Sie wollen ihn decken!«

»Nichts von allem, was Sie sagen, kann seinen Ruf beflecken«, knurrte der Kommodore.

»Dann lassen Sie es doch darauf ankommen! Lassen Sie ihn sich vor seinesgleichen verantworten. Wenn sein Gewissen rein ist – warum sollte er sich davor fürchten?«

Kelso stand auf. Abscheu klang aus seiner Stimme. »Ich habe keine Angst. Ich werde vor einer Untersuchungskommission Ihre Fragen beantworten, wenn Sie durchaus wollen.« Er wandte sich dem Gouverneur zu. »Euer Exzellenz, ich bin hergekommen, um meinen Bericht zu machen. Das habe ich getan. Nun wollen Sie mich bitte entschuldigen, denn ich habe noch viel Arbeit vor mir.« Er nahm seinen Hut. »Vielleicht ist es besser, wenn ich es Ihnen überlasse, diesen – äh – Gentleman zufriedenzustellen.«

Er war schon halbwegs an der Tür, da wurde er beim Arm gepackt. »Kelso! Moment!« Der Gouverneur zog ihn wieder zum Tisch und fuhr fort: »Kelso, ich lasse Sie nicht mit dieser Beleidigung weggehen, die uns alle beschämt. Ich weiß vielleicht besser als jeder andere, wieviel die Company und alle, die ihr dienen, Ihnen verdankt. Ohne Sie würden die Mahratten-Piraten immer noch von Gheria ausschwärmen; ohne Sie wären die Franzosen wahrscheinlich noch in Bengalen. Was Colonel Clive, wenn er hier wäre, jedem erwidern würde, der Ihre Urteilskraft oder Ihren Mut anzweifelt, das weiß ich ganz genau. Aber er ist nicht hier – leider –, und so beantrage ich, daß wir an Ort und Stelle eine Resolution verabschieden.« Kelso immer noch beim Arm haltend, wandte er sich zum Tisch. »Ich beantrage, daß wir Kapitän Kelso offiziell unsere Anerkennung aussprechen für den Angriff auf ein viel größeres und kampfstärkeres Schiff; und ich beantrage, daß wir ihn beglückwünschen zu der Art und Weise, wie er ein sinkendes Schiff über den halben Ozean sicher in den Hafen gebracht hat.« Er hob die Hand. »Stimmen wir ab, meine Herren!« Sein Enthusiasmus zerstreute jeden Zweifel, welchen die älteren Ratsmitglieder auf Grund der Anschuldigungen Savilles etwa noch gehegt haben mochten. Emmerson stieß seinen Sessel zurück und eilte herzu, um Kelso die Hand zu schütteln. Raikes beeilte sich, wenn auch mit etwas mehr Würde, es ihm nachzutun. Kommodore James war schon da und nickte zufrieden. Nur Saville blieb am Tisch sitzen.

»Kommen Sie schon, Saville«, rief der Gouverneur, »wir wollen doch Einstimmigkeit!«

Unwillig starrte Saville sie an und rührte sich nicht.

»Kommen Sie, Saville«, rief Emmerson, »geben wir Kelso, was er verdient!«

Jetzt konnte Saville seinen Haß nicht länger unterdrücken und sprang auf. »Was er verdient!« schrie er. »Beim Himmel, das soll er kriegen!« Er stieß den Sessel zurück, stürmte wütend durchs Zimmer, riß die Tür auf und starrte Kelso über die Schulter so haßerfüllt an, daß dieser ehrlich betroffen war.

5

Obgleich alles, was sich innerhalb der Honourable East India Company abspielte, als interne Angelegenheit betrachtet und so eifersüchtig gehütet wurde wie ein Staatsgeheimnis, wußte doch bald ganz Bombay, daß Kelso von mindestens einem Mitglied des Rates angegriffen worden war. Die Reaktion auf diese Neuigkeit war stark. Für die älteren Bürger von Bombay, die sich noch an Gheria und den drohenden Mahratten-Einfall erinnerten, war Kelso ein Held, der nichts Unrechtes tun konnte. Doch für die Neulinge, die gerade lange genug hier waren, um Heimweh zu bekommen und sich in Bombay zu langweilen, war die Aussicht auf einen Skandal zu verlockend, um sie zu ignorieren. Kelso hätte die *Malabar* gerammt und ihre Besatzung ersaufen lassen, lautete eines der umlaufenden Gerüchte. Ein anderes: Kelso wäre vor einem französischen Schiff ausgerissen und hätte die sinkende *Malabar* im Stich gelassen. Kelso hätte den Kampf verweigert. Kelso hätte Feigheit vor dem Feinde gezeigt, hätte die Lage falsch beurteilt, hätte sich zuviel zugetraut. An Teetischen, bei Abendgesellschaften wurden die Geschichten immer toller, je öfter sie erzählt wurden. Die älteren Einwohner stritten sie heftig ab; die Neulinge ergriffen die Gelegenheit, ihre Gastgeber zu ärgern, kicherten und flüsterten hinter Fächern und Spitzenmanschetten. Je weiter man vom Sitz der Company entfernt war, um so grotesker wurden die Geschichten.

Typisch war, daß der Mann, der im Mittelpunkt all dieser Gerüchte stand, überhaupt keine Ahnung hatte, was da vor sich ging. Die *Paragon* mußte komplett überholt werden; daher befand sich Kelso auf der Werft, solange es hell war. Ein neuer Großmast mußte gesetzt werden, das stehende Gut mußte abgeschlagen und repariert werden. Der Schiffsbaumeister, der sein Arbeitstempo gern selbst bestimmte, mußte es sich gefallen lassen, daß er ständig von einem ungeduldigen und anspruchsvollen Kapitän angetrieben wurde. Der Rumpf mußte teilweise neu beplankt und kalfatert, neue Leinwand zugeschnitten werden. Den ganzen Tag über und manchmal bis in die Nacht hinein schallten Hammerschläge durch das Hafengebiet. An Deck hantierte der Waffenschmied in der prallen Sonne an Kanonenrohren, die so heiß waren, daß man sie kaum anfassen konnte, und nackte Füße patschten über die Decks. Aber langsam bekam die *Paragon* ihre Schönheit zurück.

An dem Tag, als sie für seetüchtig erklärt wurde, war Kelso so vergnügt wie ein junger Kapitän, der sein erstes Kommando antritt. Stolz schritt er über die frisch geschrubbten Decks, spürte das sanfte Steigen und Fallen und begriff plötzlich: Das war das Leben und alles, was er vom Leben verlangte. In der Bucht lief eine leichte Dünung, gerade stark genug, daß sich die Masten leise wiegten und die Rahen vor dem klaren Himmel schwankten. Im Vorschiff hievten Matrosen Verpflegung und Munition an Bord und sangen einen Shanty dabei. Der Verpflegungsoffizier, eine Landratte, beobachtete aufmerksam den Quartermaster, der die Zahl der schwingenden Kisten und Fässer auf seiner Schiefertafel vermerkte. Über Deck enterten die Midshipmen mit affenartiger Schnelligkeit in den Wanten auf.

Befriedigt rieb sich Kelso die Hände: »Na also, alles klar. Jetzt sind wir bald wieder auf See.«

»Was mich betrifft – je eher, desto besser, Sir«, entgegnete Fenton. Kelson nickte und beobachtete weiter die Arbeit auf dem Hauptdeck. Doch es war ihm aufgefallen, wie erleichtert Fentons Stimme geklungen hatte. Denn in der letzten Woche hatte er immer ein Gefühl der Spannung, der Gezwungenheit gehabt, wenn Fenton bei ihm war. Manchmal, wenn er aufblickte, sah er Fentons treue Hundeaugen voller Beunruhigung auf sich gerichtet. Was mochte wohl mit Fenton los sein? Eine Frauengeschichte vielleicht? Zwischen den unverheirateten Offizieren und der Handvoll englischer Frauen in der Stadt wurde viel und heftig geflirtet. Nun, vermutlich war es nichts, das eine neue Segelorder nicht in Ordnung bringen würde.

»Kennen Sie schon unseren neuen Auftrag, Sir?« fragte Fenton.

»Noch nicht. Ich spreche den Kommodore heute nachmittag.«

»Aber wir können morgen auslaufen?«

»Das weiß ich nicht.« Kelso blickte Fenton lächelnd von der Seite an. »Sie haben es aber wirklich eilig.«

Fenton zuckte die Achseln. »Geht es Ihnen nicht manchmal ebenso? Ich meine, man freut sich ja, daß man wieder im Hafen ist, und ein paar Tage lebt es sich hier auch ganz nett Es gibt genug zu trinken, Gesellschaften –«

»Und Frauen?«

»O nein, Sir. Nichts dergleichen.«

»Schon gut. Sie wären nicht der erste Offizier, der sich ein kleines Verhältnis angeschafft hat.«

»Eingeborene Frauen, Sir? Das wäre nichts für mich.«

Kelso hob die Schultern. »Da haben Sie wahrscheinlich recht.« Jetzt, da ihm die *Paragon* keine Sorgen mehr machte, lag ihm daran zu wissen, welche Probleme sein Leutnant hatte. Gern hätte er ihm geholfen. Die Schwierigkeit war nur, daß privater Austausch zwischen ihnen niemals leicht gewesen war. Es ging immer nur um Befehl und Ausführung, um das Geben und Entgegennehmen von Anordnungen. Für Vertraulichkeiten war nie Zeit und Gelegenheit gewesen. Doch offenbar handelte es sich hier nicht um eine Frauengeschichte.

»Haben Sie nicht auch das Gefühl, daß es auf dem Meer sauberer ist, Sir? Spüren Sie nicht auch das Bedürfnis, all den Schmutz und Skandal der Stadt hinter sich zu lassen?«

»Den Schmutz ja, da stimme ich Ihnen zu. Dieser Staub, und der Gestank der Abwässergräben!« Kelso schwieg einen Moment und fragte dann: »Aber weshalb reden Sie von Skandal?«

»Nun, Sir . . .«

»Stecken Sie in irgendeiner Geschichte drin?«

»Aber nein, Sir.«

»Oder haben Sie sich auf irgendein Duell eingelassen?«

»Nein, Sir.«

»Sie haben auch keine Schulden?«

»Nein, Sir.«

Mit einem kurzen Nicken wandte Kelso sich ab. Jetzt, da er es vergeblich versucht hatte, war er irritiert und ärgerlich.

»Es ist nichts dergleichen, Sir.«

Kelso wandte sich wieder um und blickte in das unglückliche Gesicht seines Ersten Offiziers. »Also, was ist los? Was bedrückt Sie?«

»Nichts, Sir – gar nichts.«

»Also dann«, antwortete Kelso unwillig, »gehen Sie lieber aufs Vorschiff und kümmern Sie sich darum, daß der Quartermaster den Proviant ordentlich kontrolliert.«

»Aye, aye, Sir.« Der Erste Offizier schritt zur Kampanjeleiter, zögerte einen Moment, als wolle er noch etwas sagen, stieg aber dann eilig zum Hauptdeck hinunter.

Irritiert sah Kelso ihm nach, drehte dann dem anscheinend unlösbaren Problem den Rücken und schaute hinaus auf die See.

In einem Punkt zumindest hatte Fenton recht. Nichts konnte so rein sein wie die hohe See. In dem trägen Wasser unter dem Heck schwabberte allerlei Hafenabfall: Treibholz, Laub, faulende Früchte. Eine Insektenwolke umsummte einen Tierkadaver. Weiter hinaus jedoch, jenseits der Landzunge, wurde das graue Waser erst gelblich und dann makellos tiefblau. Dort draußen wehte eine frische Brise, wie er an der Flagge sehen konnte, die auf dem Fort flatterte; doch hier, so dicht unter Land, war die Luft stickig. Morgen, dachte er, morgen konnten sie schon auf See sein.

»Kaffee, Sir?«

Er wandte sich um. Padstow, der Kapitänssteward, kam soeben aufs Achterdeck. Er setzte den dampfenden Becher neben die Kompaßbussole. Padstow war ein guter Steward, aber phantasielos. Heißer Kaffee war auf hoher See sehr angenehm, daher brachte er bei jeder Gelegenheit welchen. Kelso dachte manchmal, wenn er nach seinem Tode das Pech hätte, in die Hölle zu kommen, würde Padstow ihn dort bestimmt mit einem feurigen Becher Kaffee empfangen.

»Was ist los mit dir?« fragte Kelso. »Was hast du mit deinem Gesicht angestellt?«

Schuldbewußt legte Padstow die Hand über sein blutunterlaufenes Auge und auf den bösartigen Kratzer an seiner Wange. »Nichts, Sir, gar nichts.«

»Hast du schon wieder getrunken?«

»Nein, Sir!« Das klang so entschieden, daß es wohl stimmen mochte.

»Also geprügelt? Ich hoffe, du hast nichts Ernsthaftes angestellt?«

»Nein, Sir. Dafür hat Mr. Fenton gesorgt.«

»Mr. Fenton! Was hatte denn der damit zu tun?«

»Nichts, Sir. Er kam nur gerade vorbei, als mir sozusagen das Temperament durchging.«

Unbewegt sah Kelso ihn an. Nach zehn Jahren hatte er sich an

Padstows trockenen Ton gewöhnt. »Nun, wenn du tatsächlich jemanden verletzt hast, bleibst du besser an Bord, damit du nicht in Schwierigkeiten kommst. Du weißt, was die Company von Keilereien hält.«

»Genaugenommen war es keine Keilerei, Sir.«

»Deinem Gesicht nach zu urteilen, war es wohl doch eine.«

»Also – es war sozusagen etwas, das sich nicht vermeiden ließ. Eine Art Ehrensache.«

»Na schön, Padstow – ich nehme an, du möchtest mir nicht erzählen, um was es ging?«

»Wenn es Ihnen nichts ausmacht – lieber nicht, Sir.«

»Und ich habe auch bestimmt keine Lust, es mir anzuhören. Scher dich also unter Deck. Du kannst meine Ausgehuniform herauslegen. Ich will heute nachmittag an Land.«

»Aye, aye, Sir.«

Kelso hätte nicht weiter an diese Geschichte gedacht, wenn nicht gerade Fenton mit dem Segelmacher und seiner Gang nach achtern gekommen wäre. Er beugte sich über die Reling und rief: »Mr. Fenton!«

»Sir?« Eilends kam Fenton die Kampanjeleiter herauf und faßte grüßend an den Hut. Kelso fragte ihn: »Was höre ich da von Padstow – Sie sind dazwischengegangen, als er sich prügelte?«

»Jawohl, Sir, das stimmt.«

»Sie haben mir nichts davon erzählt.«

»Nun, Sir, ich hoffe, Sie werden zugeben, daß Padstow diesmal im Recht war. Wenn jemand so etwas über Sie sagt, Sir, dann konnte Padstow kaum etwas anderes tun als zuzuschlagen.«

»Wenn wer was über mich sagt, Mr. Fenton?«

Betroffen merkte der arme Fenton, daß er sich vergaloppiert hatte.

»Was hat wer über mich gesagt?« wiederholte Kelso seine Frage. Ärgerlich war er noch nicht; er hatte vielmehr seinen väterlichen Spaß daran, daß er auf etwas gestoßen war, was die beiden offensichtlich vor ihm verbergen wollten.

Fenton wurde rot und fragte: »Hat er es Ihnen denn nicht gesagt, Sir? Padstow, meine ich.«

»Nein. Er sagte nur, er hätte sich mit jemandem geprügelt, und Sie wären dazwischengegangen.«

»Ich kam gerade vorbei, Sir. Es war vor Madame Blanquettes Lokal – Sie wissen, Sir, wo die Männer trinken gehen und –«

»Ich weiß.«

»Sie schlugen sich draußen.«

»Padstow?«

»Und ein anderer Mann, ein junger Bursche, frisch aus England, ein Company-Schreiber. Offenbar wußte er es nicht besser.«

»Sie meinen, er wußte noch nicht, daß man einem Company-Kapitän Respekt zu erweisen hat?«

»Jawohl, Sir«, antwortete Fenton zögernd und sprach dann rasch weiter: »Wenn Padstow ihn nicht angegangen wäre, dann hätte es ein anderer getan. Es hätte Ihr Herz erfreut, Sir, wenn Sie gesehen hätten, wie die Männer für Sie eintraten. Und außer Padstow war keiner von unserem Schiff.«

»Das ist ja sehr erfreulich. Aber, was war das für eine tödliche Beleidigung, die es zu rächen galt?«

Zu seiner Überraschung wandte Fenton sich ab. Ärgerlich rief Kelso: »Sagen Sie es mir endlich – oder ich kriege es bestimmt aus Padstow raus!«

»Sie brauchen sich dieses bösartige Geschwätz doch nicht anzuhören, Sir. Wie gesagt, der junge Mensch ist neu hier, er wußte nicht, was er da sagte.«

»Was hat er denn gesagt?«

»Mit allem Respekt, Sir –«

»Was er gesagt hat, will ich wissen!«

Abgewandten Blickes murmelte Fenton: »Diese verdammte Lüge, die in der ganzen Stadt umgeht.«

»Über mich?«

»Ich dachte – nun, daß Sie es auch schon gehört hätten.«

»Nichts habe ich gehört.«

»Es tritt ja auch jeder für Sie ein, der Sie kennt, Sir. Ich selbst habe diese Leute zurechtgewiesen – alles Neuankömmlinge von den letzten Schiffen aus Europa. Sie haben sich alle drei entschuldigt, als sie merkten, daß es mir ernst war.«

Kelso schüttelte den Kopf. »Und ich habe nichts gehört.«

»Das hat mich überrascht, aber auch erleichtert, Sir. Ich hatte gehofft, wir würden wieder auf See sein, bevor jemand unverschämt genug ist, es Ihnen ins Gesicht zu sagen.«

»Deswegen hatten Sie es also so eilig?«

»Ja, Sir.«

»Nun, wundern würde ich mich nicht. Auf so einem Außenposten, sieben Monate von der Heimat weg, müssen die Leute etwas finden, worüber sie tuscheln können. Und bis jetzt habe ich ja Glück gehabt. Wissen Sie, wie es angefangen hat?«

»Es kann nur von einem Mann ausgehen. Nach dem, was ich gehört habe – von Ihren Freunden, Sir –, hat ein einziger Mann diese ganze Lügen- und Verdächtigungskampagne in Gang gebracht.«

»Aber wer? Ich wüßte nicht, daß ich einen besonderen Feind hätte.«

»Einer, der selbst neu ist. Ich habe gehört, daß er Sie seines Bruders wegen haßt.«

»Saville! Sir Roderick Saville!«

»Ja, Sir.«

»Das ist es also!« Kelso schlug sich mit der Faust in die Fläche der anderen Hand. »Warum ist mir das nicht eher eingefallen!«

»Sie waren so beschäftigt, Sir, jeden Tag auf der Werft, und Einladungen zu Dinners oder Abendgesellschaften und dergleichen haben Sie nicht angenommen. Sie haben es ihm leichtgemacht. Die schlecht von Ihnen sprechen, denken, Sie sind – also, Sie wollen sich nicht sehen lassen, weil Sie sich schämen.«

Nun war es heraus. Fenton wartete, wütend, rot vor Unwillen. Offensichtlich hatte die Sache lange in ihm gekocht. Kelso war plötzlich ganz still geworden.

»Ich würde es nicht allzu ernst nehmen, Sir. Die Alteingesessenen, alle, auf die es ankommt, haben Sie verteidigt. Sie sind ebenso wütend wie ich.«

»Was sind das für Geschichten?« fragte Kelso.

»Nun, Sir, eben ein Haufen Lügen, und –«

»Was für Geschichten?«

»Es handelt sich um unsere letzte Aktion – gegen die *Lyon*. Eine der großartigsten, meiner Meinung nach, die Sie jemals gefahren haben.«

»Und was reden die Leute darüber?«

»Es heißt – ich meine, Saville sagt, daß – also –«

»Daß ich die Lage falsch beurteilt habe?«

»Schlimmer, Sir. Daß Sie sich feige verhalten haben.«

»Nein!« Jetzt jedenfalls war es mit Kelsos Gelassenheit vorbei. Er packte Fenton an der Schulter und schrie: »Das darf doch nicht wahr sein! Das kann doch keiner glauben!«

»Manche schon, Sir.«

»Aber warum? Was für einen Grund können sie haben?«

»Ich weiß nicht, was Sir Roderick Saville gesagt hat, Sir, aber nach allem, was ich gehört habe, sollen wir von der *Lyon* angegriffen worden sein und wollten angeblich nicht kämpfen. Ausreißen wollten wir, stellen Sie sich das vor! Nur waren wir angeblich nicht schnell genug. So hätten Sie, Sir, mit diabolischer List der *Malabar* befohlen anzugreifen, damit sich die *Paragon* unbehindert absetzen konnte!«

Kelso schüttelte den Kopf. »Das kann ich mir nicht vorstellen. So eine Lüge können die Leute doch niemals glauben!«

»Ich fürchte, das können sie doch und tun es auch. Natürlich ist es nur eine kleine Gruppe von Außenseitern, aber es ist unangenehm genug – und so gottverdammt unfair!«

Sekundenlang stand Kelso, die Augen wegen der blendenden Sonne halb geschlossen, in tiefem Nachdenken. Jetzt paßte auf einmal alles zusammen: Fentons scheues Benehmen in der letzten Woche, Padstows Eingreifen. Ihm fielen sogar kleine Begebenheiten ein, die bis dahin kaum Spuren in seinem Gedächtnis hinterlassen hatten: Alte Freunde, die ihn übertrieben herzlich begrüßt hatten; flüchtige Bekannte, die beflissen auf die andere Straßenseite gegangen waren. Er trat an die Kampanjeleiter und brüllte: »Padstow!«

»Sir!«

»Leg meine Uniform zurecht, meine beste Garnitur!«

»Entschuldigung, Sir, aber das sagten Sie schon. Sie liegt auf Ihrer Koje bereit, Sir.«

»Schön. Ich komme sofort hinunter. Und, Padstow...«

»Sir?«

»Leg auch meinen Säbel dazu!«

6

Lodernden Zorn im Herzen, schritt Kelso hügelan. Die eingeborenen Händler, Bettler und leichten Mädchen, die normalerweise jeden englischen Kapitän umschwärmten, trauten sich nicht recht an ihn heran. Staubwolken stiegen unter seinen Schuhen auf und waberten wie böse Geister hinter ihm her. Ein Palankinträger* kam auf ihn zu und wurde ärgerlich beiseitegestoßen. Normalerweise wäre er nicht den langen Hügel bis zum Sitz der Handelsgesellschaft zu Fuß hinaufgegangen, doch heute vergaß er alles – die Mittagshitze, den Staub, den Gestank der Abwässergräben –, alles außer seiner Wut auf Sir Roderick Saville.

* Palankin: indischer Tragsessel

37

Erst als er neben der Company-Residenz auf ebenem Wege war, hielt er inne und überlegte, wohin er eigentlich wollte. Mitten auf der Straße blieb er stehen, Schweiß perlte ihm von der Stirn, und sein Mund war staubtrocken. Ein Posten auf der anderen Straßenseite hatte ihn gesehen und rief die Wache zur Ehrenbezeigung heraus.

»Belegen, den Unsinn!« befahl Kelso und schritt über die Straße. Der Posten stand stramm und wußte offenbar nicht, wie er dem Befehl gehorchen sollte, denn die rotberockten Soldaten kamen bereits aus dem Wachgebäude gerannt.

Ungeduldig wartete Kelso, bis die Männer angetreten waren und präsentierten. Zu dem Unteroffizier der Wache, einem großen rotgesichtigen Mann vom Lande, sagte er: »Schon gut, Sergeant. Lassen Sie wegtreten.«

»Jawohl, Sir.«

Während die Männer so rasch, wie es die Disziplin erlaubte, wieder in ihren schattigen Wachraum eilten, wandte Kelso sich an den Sergeanten. »Sie können mir vermutlich helfen, Sergeant. Ich suche einen der Herren vom Rat und weiß nicht, wo er wohnt.«

»Sir Roderick Saville, Sir?«

Kelso musterte den Sergeanten scharf und entdeckte so etwas wie Befriedigung auf dessen Gesicht – die von Saville ausgestreuten Lügen mußten sich doch weiter verbreitet haben, als er angenommen hatte.

»Allerdings. Wissen Sie, wo ich ihn finden kann?«

»Genau weiß ich es nicht, Sir, weil er sich noch kein Haus gebaut hat. Ich habe gehört, daß er bei Bekannten wohnt.«

»Bei wem?«

»Das weiß ich nicht, Sir.« Der Sergeant hielt inne und fuhr dann mit schlecht verhehlter Verachtung fort: »Irgendwer von dieser neuen Clique aus Europa, nehme ich an.«

Nachdenklich blieb Kelso stehen. Er hätte es in einer ganzen Anzahl von Häusern probieren können – ein Ratsmitglied, selbst ein wenig geschätzter Neuankömmling würde überall Gastfreundschaft finden. In Handelsangelegenheiten und in erheblichem Umfang auch in militärischen war die Company eine Macht, und ganz obenan standen der Gouverneur und sein Rat. Selbst die reichsten Großkaufleute erwiesen dem Rat ihre Reverenz.

Kelso wollte schon weitergehen, da sagte der Sergeant: »Sie könnten es im Gästehaus des Rats probieren, Sir.«

»Danke.«

»Und, Sir –«

»Ja?«

Der Sergeant scharrte verlegen mit dem Fuß und wurde noch röter im Gesicht. »Mit allem Respekt, Sir – ich hoffe ... Nehmen Sie's mir nicht übel, Sir, aber viel Glück!«

Kelso schritt zum Verwaltungsgebäude der Honourable Company hinüber. Die Soldaten des 39. Infanterie-Regiments exerzierten trotz der glühenden Sonne auf dem Paradeplatz. An der gegenüberliegenden Seite des Platzes versuchte eine Einheit der Company-Truppen – Sepoys und eingeborene Miliz –, es der militärischen Präzision der regulären Truppe gleichzutun.

Kelso ging die Treppe hinauf und wurde von dem Lakaien empfangen, den er bei seinem letzten Besuch gesehen hatte, nur daß der Mann ihn jetzt erkannte.

»Captain Kelso, Sir?«

»Findet zur Zeit eine Ratssitzung statt?« fragte Kelso.

»Nein, Sir. Nur der Gouverneur ist hier. Soll ich Sie melden?«

»Nein, nicht nötig. Ich wollte Sir Roderick Saville sprechen.«

Bildete er es sich nur ein, oder schlug der Mann wirklich betroffen die Augen nieder? »Sir Roderick Saville, Sir? Ich fürchte, er ist nicht hier.«

»War er hier?«

»Gewiß, Sir. Der Rat hat heute getagt. Wie Sie wissen, wird in der heißen Jahreszeit früher Schluß gemacht.«

»Und dann?«

»Nun, Sir, der Gouverneur bleibt meist noch. Aber wenn nichts weiter vorliegt, gehen die anderen Herren nach Hause.«

»Wo wohnt Sir Roderick?«

Wieder dieses vorsichtige Senken des Blickes. »Genau weiß ich es nicht, Sir. Ich glaube ...«

»Es läßt sich doch feststellen?«

»Jawohl, Sir, ich glaube schon. Wenn Sie mich entschuldigen wollen ...« Er eilte hinweg, und Kelso mußte so lange warten, daß er nervös wurde. Dann erschien der hochnäsige Adjutant. Doch jetzt war er nicht mehr hochnäsig, sondern besorgt.

Er verbeugte sich, schüttelte seine Manschetten herunter und fragte: »Wie ich höre, warten Sie auf Sir Roderick Saville?«

»Ja.«

»Sie wollen ihn sprechen?«

»Ja doch. Wissen Sie, wo er ist?«

»Nein, Sir, tut mir leid.«

»Ein Ratsmitglied, und Sie wissen nicht, wo er wohnt?«

»Wo er wohnt, weiß ich, Sir, oder wenigstens, bei wem er wohnt; aber es kann natürlich sein, daß er nicht zu Hause ist. Genauer gesagt –«

»Bei wem wohnt er?«

»Bei Bekannten. Sehen Sie, es war im Moment keine für ein Ratsmitglied passende Wohnung verfügbar, und da –«

»Bei wem also?«

»Tja –«, der junge Mann blickte sich nervös um –, »ich weiß nicht recht, Captain, ob es in der Ordnung geht, wenn ich Ihnen solche Auskünfte gebe.«

»Ich bezweifle, daß der Gouverneur derartige Bedenken hat. Bringen Sie mich also zu ihm!«

»O nein, Sir, das kann ich nicht.«

»Also?«

Nach kurzem Zögern entschloß sich der junge Mann. »Sir Roderick wohnt bei Mr. Lewis Robjohn, dem Großkaufmann, in der –«

»Danke.«

Eilig schritt Kelso die Treppe hinunter und über den Paradeplatz. Die Soldaten, die er vorhin gesehen hatte, exerzierten immer noch, aber entweder hatte der aufsichtführende Sergeant der 39er ihn nicht gesehen, oder er war von der Eifersucht angesteckt, welche Offiziere und Unteroffiziere der Regulären gegenüber den ›Amateur‹-Soldaten der Company hegten; denn er machte keine Anstalten, seine Männer zur Ehrenbezeigung zu kommandieren. Die Korporalschaft der Company hingegen riß die nackten Hacken zusammen und präsentierte die Gewehre. Kelso grüßte flüchtig.

Lewis Robjohns Haus war Kelso wohlbekannt, denn Mrs. Robjohn war mit Mrs. Clive eng befreundet. In jenen noch nicht so lange vergangenen Tagen, als er unter seiner schuldbewußten und unausgesprochenen Liebe zu Robert Clives Frau gelitten hatte, war er oft bei Robjohns zum Dinner und auf Gesellschaften gewesen. Er verabscheute Gesellschaften, war aber hingegangen, um in der Nähe der geliebten Frau zu sein.

Jetzt hatte sein Besuch andere Gründe. Er schritt die gepflegte Einfahrt hinunter, an vertrocknetem Rasen und welken Blumenbeeten vorbei. Noch ehe er beim Haus ankam, sah er, daß eine Party im Gange war. Im Schatten der riesigen Zeder, die er so gut kannte, war eine Tafel gedeckt; indische Diener mit Weingläsern, Teetabletts, Tellern mit Obst und Süßigkeiten glitten unter den etwa zwanzig

Gästen umher. Kelso blieb stehen und spähte in den Dämmerschatten nach dem Manne aus, den er suchte, doch konnte er ihn nicht entdecken. Er ging bereits auf das Haus zu, da hörte er seinen Namen rufen.

»Captain Kelso!«

Er hielt inne und schritt dann auf die Zeder zu.

»Also wirklich, Captain Kelso, was sagt man! Endlich haben Sie sich an uns erinnert.« Mrs. Robjohn streckte ihm die Hand zum Gruß entgegen. Sie war eine mollige Frau aus dem Norden Englands, sehr nett und gastfreundlich, doch von ziemlich anspruchsvoller Vornehmtuerei. Er hatte nie begriffen, was Margaret an ihr fand. Nun nahm er ihre Hand und verbeugte sich steif und linkisch.

»Wie lange ist es her, daß Sie bei uns waren?« zwitscherte Mrs. Robjohn weiter. »Es gab eine Zeit, da geruhten Sie öfter zu uns zu kommen.«

»Pardon, Ma'am«, erwiderte er, »aber ich war auf See.«

»Gewiß, natürlich! Aber jetzt sind Sie wieder zurück, und nun müssen Sie öfter kommen.« Sie nahm ihn beim Arm und brachte ihn zu ihren Gästen. »Darf ich Sie mit meinen Freunden bekanntmachen?«

Kelso war nicht gekommen, um an einer Party teilzunehmen. Er blieb unvermittelt stehen, daß Mrs. Robjohn fast das Gleichgewicht verloren hätte. »Pardon, Ma'am, aber ich muß Sie bitten, mich zu entschuldigen. Dringende Geschäfte.«

»Aber Sie können doch einen Moment bleiben und eine kleine Erfrischung, vielleicht ein Glas Wein —«

»Vielen Dank, Ma'am, nein.«

Enttäuscht schwieg sie und blickte ihn an, doch da sie aus Yorkshire stammte, hatte sie Verständnis für Dickköpfigkeit.

»Nun, Sie müssen es wissen. Doch wenn Sie nicht als Besuch gekommen sind —«

»Ich habe nicht Sie besuchen wollen, Ma'am, bin jedoch entzückt, Sie bei dieser Gelegenheit zu sehen. Ich wollte eigentlich einen Ihrer Gäste sprechen.«

»Nun, ausgezeichnet. Hier sind sie alle.«

Aufmerksam blickte er sich um, fing hier eine Verbeugung, dort ein Lächeln, einen Fächerschwung auf von Männern oder Frauen, die er kannte. »Nein, Ma'am«, sagte er dann, »der Mann, den ich suche, ist nicht hier.«

Plötzlich begriff sie. Er spürte, wie sie vorsichtig wurde, beinahe erstarrte; mit gesenkter, halblauter Stimme sagte sie: »Es handelt sich also um einen bestimmten Herrn.«

»Um Sir Roderick Saville. Er wohnt doch bei Ihnen?«

Jetzt erstarrte die ganze buntglitzernde Gesellschaft vor Spannung. Wogende Fächer standen plötzlich still, halb erhobene Tassen und Gläser schienen in der Luft zu schweben. Jede Unterhaltung verstummte, alle schienen auf etwas Bestimmtes zu warten. Mrs. Robjohn lachte verlegen. »Sir Roderick! Gewiß, allerdings. Er ist unser Hausgast.«

»Wissen Sie, wo er ist?«

»Nein – das heißt –« Sie zögerte wieder.

»Vielleicht kann ich Ihnen helfen, Captain«, sagte ein Herr und trat aus dem Schatten des Baumes: Harvey Buckland, ein Schreiber der Company, jung an Jahren, aber schon lange im Lande; er war 1756, vor vier Jahren, mit den Clives herübergekommen. »Ich habe gehört, daß Sir Roderick eine Passion für das Spiel entwickelt hat.«

»Oder für etwas anderes«, fügte eine zweite Stimme hinzu.

»Er verbringt seine Mußestunden meistens bei Cartier.«

»Danke.« Kelso machte Mrs. Robjohn und der Gesellschaft eine seiner linkischen Verbeugungen, wandte sich auf dem Absatz um und ging.

Unterwegs überlegte er, daß er von allein hätte darauf kommen können, wo Saville sich aufhielt. Die meisten unverheirateten Herren von Rang landeten früher oder später bei Cartier. Er war ein exilierter Schweizer – manche sagten, ein geflohener Verbrecher –, der ein Spiel- und Speiselokal eröffnet hatte, ein nur von Herren besuchtes Etablissement. Es war kein Geheimnis, daß Monsieur Cartier im Oberstock die Dienste einiger frisch aus Europa angekommenen Dämchen offerieren konnte.

Kelso schritt über den Paradeplatz, als das Exerzieren gerade vorbei war. Um das östliche Tor zu passieren, mußte er an der Doppelreihe Soldaten vorbei, und da er die Richtung änderte, bemerkte er sie jetzt zum erstenmal. Ärgerlich blieb er stehen und brüllte: »Sergeant!«

»Sir?«

»Werden hier Marineoffiziere eigentlich nicht gegrüßt?«

»Jawohl, Sir – das heißt – jawohl.« Verwirrt und ärgerlich ließ der Sergeant seine Männer strammstehen und präsentieren.

Aber noch ehe Kelso das Kommando: »Präsentiert das – Gewehr!« hörte, hatte er alles vergessen. Er brannte immer noch vor Zorn, und das trotz der Hitze, den Fliegen, dem sinkenden Staub. Vor der Mauer nahm er – mehr mit der Nase als mit den Augen – einen verwesenden, in Ketten am Galgen hängenden Leichnam wahr: einen indischen Räuber. Das Hinterland wimmelte von ihnen. Er ging ein Stück durch das Eingeborenenviertel, dann wieder hinaus und auf die Esplanade zu Cartiers Spielsalon.

Durch die Perlvorhänge trat er in das Spielzimmer. An einem Dutzend Tische saßen Männer, aßen, tranken, spielten: Armeeoffiziere, Company-Schreiber, Marineoffiziere. Kelso blickte sich um und sah ein Dutzend bekannter Gesichter; manche lächelten ihn an, andere blickten feindselig oder erwartungsvoll. Doch das Gesicht, das er suchte, fand er nicht. Beflissen kam Cartier selbst ihm entgegen: »Captain Kelso, Sir! Es ist mir eine Ehre!«

»Ist Sir Roderick Saville hier?« Als er das fragte, spürte er wiederum die plötzliche Spannung im Raum und war sich darüber klar, daß die ganze Stadt seit Wochen auf diesen Augenblick gewartet hatte.

»Ist Sir Roderick Saville hier?« wiederholte er.

»Nein, Sir.« Der Patron leckte sich nervös die dicken Lippen. »Nein, Sir. Sie sehen ja selbst.«

»Sind das Ihre einzigen Räume?«

»Ja, Sir. Das heißt –«

»Wenn es die einzigen wären«, rief jemand auflachend, »dann käme Saville nicht so oft her.«

Nervöses Gelächter – aller Augen wandten sich instinktiv der Tür an der anderen Seite des Raumes zu.

»Ist er oben?«

»Nein, Sir.«

Das war so offensichtlich eine Lüge, daß Kelso bereits voller Wut an der Tür stand, ehe der Patron ihn aufhalten konnte. »Captain Kelso – bitte!«

Kelso riß die Tür auf. »Ist er oben?«

»Allerdings, ja. Aber Sie können nicht hinauf zu ihm, Captain; er ist beschäftigt.«

Finster blickte Kelso die Gäste an, deren brüllendes Gelächter durch den Raum schallte. »Dann holen Sie ihn!«

»Aber, Captain!«

»Holen Sie ihn!«

»Captain!« Flehend rang der Patron die Hände. »Das kann ich nicht, Captain, wirklich nicht. Sir Roderick ist ein einflußreicher

Mann, Ratsmitglied. Wenn ich ihn jetzt störe, dann tut er mir Gott weiß was an – er würde mein Etablissement schließen lassen, mich ins Gefängnis bringen –«

»Sagen Sie mir die Zimmernummer, dann störe ich ihn selbst.«

»Nein, Captain, nein!«

»Versuchen Sie's mal in Nummer zwei«, rief jemand. »Gleich oben an der Treppe.«

»Danke.«

Kelso schob den unglücklichen Cartier beiseite und eilte die wenigen Stufen hinauf. Am Treppenabsatz war es so dunkel, daß er die Nummern der Türen nicht erkennen konnte, deshalb klopfte er hart an die erste Tür rechts. Er hörte drinnen ein Rascheln und dann eine gereizte Stimme: »Verdammt! Was, zum Teufel, soll das?«

»Saville?«

»Ja.«

»Kelso. Ich muß Sie sprechen.«

Eine lange Pause, und dann quietschte ein Bett. »Hol Sie der Teufel, Kelso! Haben Sie denn keinen Sinn für Anstand? Später!«

»Ich will jetzt mit Ihnen reden! Machen Sie auf!«

»Nein!«

»Ich gebe Ihnen eine Minute, Saville – eine Minute, um sich was anzuziehen!«

»Verfluchte Unverschämtheit! Ich lasse Sie hinauswerfen!«

»Eine Minute – ab sofort.«

»Wenn Sie es wagen, eine Szene zu machen, melde ich Sie dem Gouverneur. Ich bringe Sie vors Kriegsgericht!«

»Ich warte.«

Jetzt war im Zimmer Bewegung zu hören und eine vorwurfsvolle weibliche Stimme, der Saville grob Schweigen gebot.

»Machen Sie auf, Saville!«

»Ich denke nicht daran! Und glauben Sie nicht, Sie könnten ein Ratsmitglied straflos insultieren. Ich warne Sie, Kelso!«

»Zum letzten Mal: Tür auf!«

»Nein.«

Kelso warf sich gegen die Tür und merkte, daß sie dem Druck seiner Schulter nachgab – ein guter Stoß mußte reichen. Er wich einen Schritt zurück und gab der Tür einen Tritt direkt oberhalb des Schlosses.

Die Tür flog auf und traf Saville heftig im Gesicht. Er fuhr zurück, hielt sich die Nase und stieß einen Schmerzensschrei aus. Bis auf ein plissiertes Hemd, das ihm knapp bis zu den Knien reichte, war er nackt. Auf dem Bett lag eine Frau, die zu dieser Demonstration brutaler Stärke einladend lächelte.

»Verflucht!« schrie Saville und hielt sich immer noch die Nase, »Sie haben mich beinahe umgebracht!«

»Noch nicht«, erwiderte Kelso gelassen. Er trat ins Zimmer und packte Saville hinten am Hemdkragen. Zu der Frau auf dem Bett sagte er: »Pardon, Ma'am, aber ich habe Geschäfte mit diesem Herrn.«

Er stieß den protestierenden Saville vor sich her aus dem Zimmer und machte die Tür zu. Halb stolpernd, halb fallend gelangten sie irgendwie die Treppe hinunter. Die Spieler an den Tischen sprangen auf und starrten ungläubig auf ein Mitglied des Hohen Rates, das mit blutender Nase, fast weinend vor Wut, gezwungen wurde, im bloßen Hemd vor ihnen zu erscheinen. Es gab höhnisches Gelächter und obszöne Bemerkungen.

Doch Kelso war nicht zum Lachen zumute. Den unglücklichen Saville immer noch am Nacken haltend, sagte er mit lauter Stimme: »Also – was haben Sie für Geschichten über mich erzählt? Was für Lügen hinter meinem Rücken über mich verbreitet?«

»Lassen Sie mich los, Kelso, um Gottes willen!«

»Sobald Sie Ihre Lügen eingestanden haben.«

»Kelso!« Der unselige Ratsherr sträubte sich verzweifelt, doch wirkte er mit seiner blutenden Nase, und weil er viel kleiner als Kelso war, nur um so komischer. Das sah er auch endlich ein und sagte trotzig: »Ich weiß nicht, was Sie meinen.«

»Unsere Aktion gegen die *Lyon*«, antwortete Kelso. »Sie wissen, wie es wirklich war.«

»Ich weiß nur, was *Sie* erzählt haben.«

»Wollen Sie damit sagen, daß ich lüge?« fragte Kelso. »Meinen Sie das?« In seiner Wut hob Kelso den armen Kerl regelrecht hoch, so daß er wie eine windverwehte Vogelscheuche an seinem Arm baumelte. »Behaupten Sie, daß ich gelogen habe, Sir?«

»Nein, nein! Lassen Sie mich runter, Kelso!«

»Dann geben Sie also zu, daß mein Bericht der Wahrheit entsprach? Wir haben die *Lyon* angegriffen, die *Malabar* wurde versenkt und die *Paragon* schwer beschädigt; aber wir blieben am Feind, bis die *Lyon* abdrehte. Geben Sie das zu?«

Eine lange Pause trat ein. Alle warteten gespannt auf Savilles Antwort. Endlich murmelte dieser: »Das haben Sie dem Gouverneur erzählt.«

»Und das sagte ich Ihnen. Wissen Sie es besser?«

»Nein.«

»Hat jemand bestritten, daß meine Darstellung wahr ist?«

Saville schwieg zunächst, doch als Kelso ihn wiederum hochhob, schrie er: »Nein, nein, ich habe nichts dergleichen gehört.«

»Und alle diese Gerüchte, die Sie über mich verbreitet haben – daß die *Paragon* den Kampf verweigert hat und so weiter –, sind somit unwahr?«

Wieder packte Kelso Savilles Hemdkragen fester, bis dieser endlich hervorstieß: »Ja, das sind sie wohl.«

»Pure Erzeugnisse Ihrer Phantasie?«

»Ja.«

Kelso ließ ihn los und trat zurück. Immer noch waren seine Lippen ganz schmal vor Zorn, doch plötzlich schien er Mitleid mit seinem Gegner zu bekommen. »Na, dann gehen Sie nur wieder hinauf«, sagte er ruhiger, »und ziehen Sie sich was an.«

Saville eilte zur Tür. Bei dem Gerangel war ihm das Hemd am Rücken hochgerutscht, und als jetzt auf der Treppe sein bloßes Gesäß sichtbar wurde, war die Demütigung vollkommen. Bellendes Gelächter schallte hinter ihm her. An der Tür wandte Sir Roderick sich zu seinem Widersacher um. »Bilden Sie sich nur nicht ein, daß da nichts nachkommt, Kelso!« schrie er. »Ich hole mir Satisfaktion – und wenn es das letzte ist, was ich in diesem Leben tue!«

7

Am selben Nachmittag ging Kelso ins Büro der Handelsgesellschaft, um Kommodore James aufzusuchen, doch erfuhr er, daß dieser zu einer wichtigen Besprechung beim Gouverneur war. Er fragte sich, ob das etwas mit der Affaire bei Cartier zu tun haben könnte. Zwar war kaum anzunehmen, daß Saville seine Demütigung aktenkundig machen würde, indem er sich offiziell beim Gouverneur über Kelso beschwerte; doch wenn er es tat, mußte es Disziplinarmaßnahmen zur Folge haben. Tätlicher Angriff auf ein Ratsmitglied war eine ernste Sache.

Von der Treppe der Residenz blickte Kelso über den Exerzierplatz auf den Abhang, wo die Villen der Beamten standen, und hinunter zum Hafen mit der Werft, wo die Spanten eines Schiffsneubaus auf der Helling emporragten wie das Gerippe eines prähistorischen Ungeheuers. Draußen auf dem Wasser eilten zahlreiche Boote, Barkassen,

Marinekutter und Eingeborenenfahrzeuge insektengleich in der Bucht hin und her. Weiter draußen schwojte seine brave *Paragon* vor Anker. Plötzlich hatte er die Nase voll vom Land, vom Staub, von der Hitze, den Eifersüchteleien und Intrigen. Er sehnte sich nach der Freiheit der See. In gedrückter, unbehaglicher Stimmung stieg er den Hügel hinunter zur Villa des Kommodore.

Von den Herrschaften war niemand zu sehen, als er eintrat. Die Diele wirkte kühl und friedvoll nach dem Lärm und der glühenden Hitze auf der Straße. Er ging in den Salon und nahm Platz. In der Annahme, daß er allein sei, lehnte er sich bequem zurück und kreuzte die Beine, doch fuhr er zusammen, als eine angenehme Stimme sprach: »Captain Kelso! Wie nett, Sie zu sehen, und so früh am Nachmittag! Sie kommen gerade recht, um eine Tasse Tee mit mir zu trinken.«

»Mrs. James! Bitte vielmals um Verzeihung, Ma'am, aber ich wußte nicht, daß Sie hier sind.«

Gerade aufgerichtet saß sie im Schatten bei der Tür und sah ihn lächelnd an. »Sie haben nicht erwartet, mich zu sehen«, sagte sie, »obwohl ich mich nachmittags gern hier ausruhe. Doch bestimmt habe ich Sie nicht erwartet.«

»Ich hatte viel zu tun«, verteidigte er sich. »Es gab eine Menge Arbeit auf meinem Schiff.«

»Auf Ihrer wunderschönen *Paragon.*«

Erfreut blickte er sie an. »Sie kennen sie, Ma'am?«

»Man kann nicht die Frau eines Oberkommandierenden sein, ohne jedes Schiff in der Marine wenigstens aus seinen Erzählungen zu kennen.«

»Aber Sie haben sie selbst gesehen?«

Sie lächelte wieder. »In der Tat, das habe ich. Ich wiederhole – ein wunderschönes Schiff.«

Sie klopfte mit ihrem Stock auf den Boden. Ein indischer Diener huschte herein. Sie befahl Tee und wandte sich dann wieder Kelso zu. »Ich sah heute morgen aus dem Fenster«, sagte sie. »Wenn ich nicht irre, ist Ihr Schiff bereits zu Wasser.«

»Ja, Ma'am. Endlich ist sie fertig.«

»Und macht seeklar?«

»Ja.«

Sie seufzte. »Wahrscheinlich sind Sie froh, daß Sie bald wieder segeln.«

»Natürlich! Das heißt...« Er zögerte, weil ihm einfiel, daß sein

Enthusiasmus ein schlechter Dank für ihre Gastfreundschaft war. Er murmelte: »Reizend hier an Land... Äußerst dankbar für Ihre Liebenswürdigkeit...«

»Sie brauchen sich nicht zu entschuldigen, Captain«, lachte sie. »Sie vergessen, daß ich mit einem Seemann verheiratet bin.«

»Dann verstehen Sie mich also.« Dankbar blickte er sie an. Wie gut man mit ihr reden konnte, dachte er; wie liebenswürdig und verständnisvoll sie war.

»Und diesmal«, fuhr sie fort, »haben Sie es zweifellos doppelt eilig, in See zu gehen.«

Ausdruckslos sah er sie an.

»Es war eine schwierige Zeit für Sie – aus mancherlei Gründen.«

Sie verstand ihn also. Sie wußte, wie es war, Kapitän eines dienstunfähigen Schiffes zu sein. Ob sie auch von Saville wußte und den Gerüchten, die er verbreitet hatte?

Überrascht hörte er sie sagen: »Wir sollten uns wirklich nach einer Frau für Sie umsehen.«

»Nach einer Frau?«

»Natürlich. Ohne eine Frau, die er liebt, ist ein Mann nur ein halber Mensch. Besonders ein – nehmen Sie es mir bitte nicht übel – ein solcher Mann wie Sie.«

»Gewiß. Vielen Dank, Ma'am, aber ich glaube nicht...«

»Oh, seien Sie unbesorgt. Ich habe noch keine bestimmte Dame im Sinn.«

»Halten Sie mich bitte nicht für undankbar, Ma'am, aber die Sache ist die –«

»Daß Sie eine andere Frau geliebt haben.«

Er war angenehm überrascht, daß ihn sogar diese Erwähnung nicht verlegen machte. Sie wußte natürlich von Margaret. Dergleichen konnte man noch so sorgfältig verbergen – Frauen merkten es instinktiv.

»Und so kann es für Sie«, fuhr sie fort, »keine glückliche Heimkehr gewesen sein: Einsam, Ihr Schiff schwer beschädigt, so viele von Ihren Männern verwundet oder gefallen –«

»Nein, das war es nicht«, antwortete er. »Aber jetzt ist mein Schiff wieder seetüchtig. Wenn ich Glück habe, laufen wir in ein, zwei Tagen aus.«

»Und sind froh, von hier fort zu kommen?«

»Gewiß.«

Nachdenklich schüttelte sie den Kopf. »Ich kann nicht so tun, als verstünde ich das – dieses leidenschaftliche Verlangen nach der Einsamkeit auf See. Mein Mann war auch so; doch natürlich war es bei ihm etwas anderes.«

»Inwiefern?«

»Ich möchte es doch annehmen. Sehen Sie, er hatte ein Heim, eine Frau, etwas, zu dem er zurückkehren konnte.«

Kelso sah sie nachdenklich an und nickte dabei, innerlich erwärmt und etwas geschmeichelt, weil sie so von ihm dachte; aber trotzdem verstand er sie nicht.

Sie sprach weiter: »Hoffentlich haben Sie nichts dagegen, daß ich so mit Ihnen rede. Ich möchte nur gern helfen. Schließlich bin ich alt genug, daß ich Ihre Mutter sein könnte – und seine auch.«

»Seine Mutter?«

»Sir Roderick. Ihm möchte ich auch helfen.«

Das war es also! Eigentlich hätte er noch immer einen heiligen Zorn auf Saville haben müssen, doch irgendwie war seine ganze Wut wie ausgebrannt nach der wüsten und ziemlich beschämenden Szene vom Vormittag. Sein Zorn war nur noch wie Asche, die rasch erkaltete, und beim Gedanken an Saville konnte er überhaupt keine Empfindung mehr aufbringen.

»Ich weiß, was heute vormittag passiert ist«, fuhr sie fort. »Die ganze Stadt weiß es. Und jetzt wird es ein Duell geben, nehme ich an. Einer von euch beiden wird fallen.«

»Das hängt von Saville ab. Er kann sich ja auch beim Gouverneur über mich beschweren. Das wäre ein einfacher Ausweg.«

Sie schüttelte den Kopf. »Das wird er nicht tun. Ich kenne Sir Roderick so gut, wie ich seine Mutter kannte. Sie war meine beste Freundin, müssen Sie wissen. Er ist ein netter junger Mann – oder kann es sein –, nur schwach. Und wie alle Schwachen nimmt er leicht übel. Deswegen hat er diese Geschichten verbreitet. Doch im Herzen ist er kein schlechter Mensch.«

Sekundenlang blickte Kelso sie schweigend an. »Was soll ich also tun?«

»Tun sollen Sie gar nichts. Ich bitte Sie nur, die Sache mit klarem Kopf zu überdenken, abzuwägen, wieviel davon auf seinem Ressentiment Ihnen gegenüber beruht, weil Sie alles sind, wonach er sich sehnt: stark, ein erfolgreicher Kapitän, ein Held.«

»Ich hege keinen Groll mehr gegen ihn. Was er mir schuldete, hat er heute vormittag bezahlt.«

Unverhüllt mußte sie lächeln, und er dachte, wie schön sie

gewesen sein mußte, ehe Alter und ungesundes Klima ihren Tribut gefordert hatten. Erfreut schlug sie die Hände zusammen und rief aus: »Gut, gut! Das war es, was ich von Ihnen zu hören hoffte!«

»Aber was Sir Roderick nun tun wird, fragt sich noch. Wenn er mich nicht dem Gouverneur meldet, wird er mich sicherlich fordern. Ich weiß wirklich nicht, was ich dann unternehmen soll.«

»Schonen Sie ihn. Um meinetwillen und um seiner toten Mutter willen, die meine Freundin war. Versuchen Sie, daran zu denken, daß ein Teil seines Übelwollens daher kommt, daß er unglücklich ist. Er hat für seine Verleumdungen bereits gebüßt. Demütigen Sie ihn nicht noch mehr!«

Ruhelos kehrte Kelso auf sein Schiff zurück, in das Chaos der Marketenderboote und Kutter, der Winschen und vollgestellten Decks. Als er vormittags von Bord gegangen war, hatte es ausgesehen, als ob auf der *Paragon* alles glatt liefe; doch als er jetzt durch die Fallreepspforte kletterte, überfielen ihn sofort ein Dutzend dringender Probleme. Der Quartermaster hatte Sorgen wegen der Verstauung des Proviants: Im Vorschiff lag schon zuviel, meinte er, und mittschiffs nicht genug für einen rechten Trimm. Hauptmann Lillywhite hatte zwei Seesoldaten zu Arrest im Orlopdeck verurteilt, weil sie stockbetrunken an Bord gekommen waren. Der Bootsmann wollte unbedingt, daß der Kapitän das stehende Gut persönlich inspizierte. Während Kelsos Abwesenheit hatten die Offiziere die Leute wahrlich hart arbeiten lassen. Die *Paragon* war kaum noch als das Schiff zu erkennen, das er am Vormittag verlassen hatte: die Rahen waren aufgeheißt, in den Bramsegeln stand eine leichte Brise. Unten im Hauptdeck veranstaltete Craig, der Stückmeister, Geschützexerzieren. Sogar Schiffsarzt Foulkes war an der Arbeit: Er verband einen allzu eifrigen Toppsgasten, der aus den Wanten gefallen war. Nur Fenton sah ruhig und gelassen aus, doch Kelso wußte, daß er härter als jeder andere an Bord gearbeitet hatte.

»Das Schiff kommt allmählich in Form«, sagte Kelso anerkennend zu ihm. »Ein schönes Stück Arbeit für einen Tag.«

»Danke, Sir. Es bleibt immer noch eine Menge zu tun.«

»Das sehe ich. Aber morgen ist auch noch ein Tag.«

»Haben Sie unsere Order, Sir? Wissen Sie schon, wann wir auslaufen?«

»Noch nicht. Ich habe versucht, den Kommodore zu erreichen, aber er war beim Gouverneur zur Besprechung.«

»Unseretwegen? Ich meine, wegen der *Paragon?*«

»Vielleicht. Wir bekommen unsere Order sicher bald.«

»Ich hoffe, Sir...« Fenton brach ab.

»Was?«

»Ich hoffe, daß wir die Chance bekommen, zu Ende zu führen, was wir angefangen haben.«

»Sie meinen die *Lyon?*«

»Ja, Sir.«

Kelso nickte und antwortete mit einer Inbrunst, die ihn selbst überraschte: »Ich auch, Fenton. Nur so können wir unseren guten Ruf wieder herstellen — oder doch wenigstens so weit, wie es uns selbst zufriedenstellt. Ich gäbe ein Jahresgehalt dafür, noch einmal an die *Lyon* heranzukommen.«

Er wandte sich um, denn ein Midshipman eilte die Kampanjeleiter herauf. »Entschuldigung, Sir, aber da kommt eine Barkasse mit der Company-Flagge. Anscheinend der Oberkommandierende.«

»Danke. Sagen Sie dem Bootsmann, er soll das Schiff klarmachen zu seinem Empfang. Sagen Sie auch den Offizieren Bescheid.« Mit einem Grinsen meinte er zu Fenton: »Na also, bald wissen wir mehr. Ich denke, der Kommodore bringt uns die Segelorder.«

Doch nicht die Segelorder machte Kommodore James Sorgen, als er an Bord kam. Er nahm Kelso gleich beim Arm und ging mit ihm auf die Leeseite des Achterdecks. »Was, zum Teufel, haben Sie da angestellt, Kelso? Ich höre, Sie haben diesen Saville verprügelt?«

»Wir hatten nur eine Auseinandersetzung, Sir. Hat er sich beim Gouverneur beschwert?«

»Nein, nein. Schlimmer als das. Der verdammte Kerl will sich mit Ihnen schlagen. Ich mußte seine Sekundanten in der Barkasse mitnehmen. Er will Sie fordern.«

Kelso hob die Schultern. »In seiner Lage bleibt ihm kaum etwas anderes übrig.«

»Wollen Sie kämpfen?«

»Das ist mir jetzt gleich. Was ich zu sagen hatte, habe ich ihm heute vormittag gesagt.«

»Aber verdammt noch mal, Kelso! Entweder legen Sie den Kerl um oder er Sie. Auf jeden Fall gibt es einen Riesenskandal.«

»Ich werde versuchen, ihn nicht zu töten«, erwiderte Kelso. »Wenn er mich tötet – nun, dann geht mich das Ganze nichts mehr an.«

»Mann, Sie sind ja...« Der Kommodore war so ärgerlich, daß er kaum noch zusammenhängend reden konnte. »Also, wenn Sie entschlossen sind, die Sache durchzustehen, dann reden Sie am besten mit den Sekundanten und bringen Sie es so rasch wie möglich hinter sich. Die Order, die ich mit habe, duldet keine Verzögerung.«

»Gewiß, Sir.« Kelso ging an die Querreling und rief zu den beiden elegant gekleideten Herren hinunter:»Gentlemen, würden Sie bitte heraufkommen?« Er sah Fenton voller Spannung am Großmast stehen und winkte ihn ebenfalls herauf.

Die eleganten jungen Herren kamen aufs Achterdeck und verbeugten sich.»Captain Kelso?«

»Ja.«

»Sir Hubert Trend, Sir, zu Ihren Diensten. Und mein Freund, Major Outhwaite vom 39. Infanterieregiment.«

Kelso erwiderte die Verbeugung.»Erfreut, Sie kennenzulernen. Darf ich Ihnen meinen Ersten Offizier vorstellen – Leutnant Fenton.« Nach erneuten gegenseitigen Verbeugungen fuhr Kelso fort:»Nun, meine Herren, Sie sind sicher nicht gekommen, um mir einen Höflichkeitsbesuch abzustatten?«

»Nein, allerdings nicht. Wir kommen im Auftrag von Sir Roderick Saville.«

»Er wünscht also Satisfaktion?«

»Jawohl. Entweder das oder Ihre öffentliche Entschuldigung.«

Kelso zuckte die Achseln.»Na schön. Wo sollen wir uns treffen und wann?«

Sir Hubert gab sich milde überrascht.»Aber das haben Sie zu entscheiden, Captain. Sie nehmen Sir Rodericks Forderung an, also ist es Ihr Recht, Ort und Zeit zu bestimmen.«

»Dann je eher, desto besser. Morgen früh?«

»Gewiß. Bei Sonnenaufgang?«

»Wie Sie wünschen. Im Park?«

Sir Hubert nickte und machte eine nervöse Handbewegung.»Das scheint mir durchaus passend.« Er zögerte.»Ich glaube, Sie haben sich dort schon einmal geschlagen?«

»Ja.« Also hatten sie von jenem anderen Duell gehört, das in Bombay immer noch Gesprächsstoff war: Auch so ein Treffen im Morgengrauen, und Kelsos Gegner war ein großmäuliger Major, Scharfschütze, der eine ganze Anzahl Opfer registrieren konnte. Auch damals war Kelso der Herausgeforderte gewesen, und er hatte die Bedingungen bestimmt: Pistolen auf fünf Schritt, nur eine geladen. Vielleicht dachten sie, er würde diesmal wieder etwas ähnliches fordern.

»Waffen?« fragte Kelso.

»Auch das können Sie bestimmen«, antwortete Sir Hubert.

»Ich überlasse die Wahl gern Sir Roderick.«

»Nun, ich muß sagen, Captain, das ist außerordentlich liebenswürdig von Ihnen. Ich hatte gedacht, als Seemann würden Sie Säbel vorziehen; aber, um ehrlich zu sein, Sir Roderick ist kein Fechter, und...«

»Dann also Pistolen.«

»Danke, Captain.« Sir Hubert verbeugte sich und fragte mit schlecht verhehlter Beklommenheit: »Und die Distanz?«

Kelso lächelte. »Machen Sie das, wie Sie wollen. Zehn Schritt, zwanzig – mir ist es gleich.«

Sir Hubert konnte seine Erleichterung kaum verbergen. »Danke, Captain.« Und mit einer tiefen Verbeugung: »Ihr Diener, Sir.«

Sein Begleiter fragte: »Sie werden uns noch Ihren Sekundanten nennen?«

»Leutnant Fenton hier«, antwortete Kelso. »Das heißt, wenn er einverstanden ist.«

»Selbstverständlich, Sir«, sagte Fenton, »nur...«

»Dann unterhalten Sie sich vielleicht mit diesen Herren weiter, während ich mit dem Kommodore spreche.«

Kelso ging mit dem Kommodore in seine Kajüte hinunter. »Kelso«, sagte dieser, als sie allein waren, »ich kenne Sie jetzt schon viele Jahre – zehn, nicht wahr? –, aber ich kann nicht sagen, daß ich Sie verstehe. Sie hatten doch die Wahl der Waffen. Säbel – Mann, damit hätten Sie Saville nach Belieben in Stücke hauen können. Aber Pistolen! Ich weiß nicht, wie es mit Saville ist, aber Sie – wenn Sie nicht inzwischen eine Menge dazugelernt haben, sind Sie der schlechteste Schütze in Indien! Sie haben alle Ihre Vorteile verschenkt.«

»Das wissen wir nicht«, erwiderte Kelso gleichgültig. »Vielleicht ist auch Saville ein schlechter Schütze, Sir.« Er griff unter die Koje und holte die Mappe mit den Seekarten hervor. »Und nun, Sir – Sie haben meine Segelorder?«

Der Kommodore sah ihn finster an, als wolle er noch etwas sagen, doch nickte er schließlich.

»Aye. Ich habe sie bei mir.«

»Und wir können morgen auslaufen?«

»Ja, beim Kentern der Abendtide, wenn Sie klar sind – und wenn Sie dann noch leben.«

»Wenn nicht«, erwiderte Kelso, »brauchen Sie jedenfalls nicht

53

lange nach meinem Nachfolger zu suchen: Fenton ist ein guter Offizier.«

»Diesmal«, sagte der Kommodore zweifelnd, »betrifft Ihre Order etwas Ausgefallenes. Hier steht's.«

»Ja?«

»Kein leichter Auftrag, den Sie da bekommen. Sie segeln in fremde Gewässer, die noch weithin unkartographiert sind. Sie werden lange fort sein, und Sie werden allein segeln.«

»Spielt keine Rolle«, sagte Kelso ungeduldig. »Die Frage ist – jagen wir die *Lyon*?«

»Die *Lyon*? Die ist doch, hol mich dieser und jener, inzwischen schon halbwegs vor der Ile de France.«

»Oder sie hat sich irgendwo weiter oben an der Küste versteckt, bis sie so weit repariert ist, daß sie den Schiffsverkehr der Company aufs neue stören kann.«

Der Kommodore machte eine unwillige Bewegung. »Dem sei wie ihm wolle, aber Ihre Befehle sind in dieser Hinsicht eindeutig.«

»Ist jemand anderer hinter der *Lyon* her?«

»Nicht daß ich wüßte. Es gefällt mir selber nicht, aber der Gouverneur hat seine Befehle.«

»Das heißt, von London?«

»Aye.«

»Umso schlimmer. Was weiß unser Direktorium von den Verhältnissen hier?«

»Verdammt wenig, würde ich sagen. Andrerseits hat es uns eins voraus: den großen Überblick über Indien. Ich zweifle nicht daran, daß Ihr Einsatz hochwichtig ist – wichtiger als das Scharmützel mit einem französischen Linienschiff.«

Kelso setzte sich, um seine Enttäuschung zu verbergen. Die *Lyon* hatte seine geliebte *Paragon* kampfunfähig geschossen, sie beinahe versenkt. Er würde keine Ruhe mehr haben, bis er dafür Rache nehmen konnte. Und dann ging es auch um seine Ehre. Mochten seine Freunde zu seiner Verteidigung sagen, was sie wollten, ein Nachhall von Savilles Verleumdungen würde immer bleiben – es sei denn, er versenkte die *Lyon*.

»Nun, Sir«, fragte er, »in welche Richtung segeln wir diesmal?«

»Nach Norden.«

»Also Richtung Persien.«

»Waren Sie jemals in den Gewässern dort oben?«

»Nein, Sir. Unsere Patrouillen fahren, wie Sie wissen, nur bis Surat hinauf, und einmal habe ich eine arabische Flottille nordwärts bis Oman gejagt. Aber wir hatten Befehl, nicht über die Straße von Ormuz hinauszusegeln.«

»Nun, diesmal werden Sie das tun. Sie fahren direkt in den Golf hinein, den Persischen Golf.«

»Und dann?«

»Sie nehmen Kontakt auf mit einem gewissen Karim Khan – wenn Sie ihn finden können und er noch lebt.«

»Karim Khan Sand? Der neue Schah?«

»Praktisch ist er der Schah, nur nennt er sich nicht so. Er nennt sich *vakil*, Treuhänder des Volkes.«

»Und wenn ich ihn finde?«

»Dann bemühen Sie sich um ihn, schließen Sie Freundschaft mit ihm. Sie nehmen Geschenke mit und ein Schreiben des Gouverneurs.«

»Und was erwartet die Company als Gegenleistung?«

»Handelsrechte, freie Passage durch den Golf, die Gewißheit, daß dieser Karim Khan ein mächtiger Mann ist.«

»Das sollte mich wundern«, wandte Kelso ein. »Wird nicht sein Land seit Generationen von Bürgerkriegen zerrissen? Ich dachte, dort wechseln die Schahs über Nacht.«

»Da haben Sie bis zu einem gewissen Grade recht. Seit dem Tode Nadir Schahs ist alles anders geworden. Er war ein furchtbarer Mann, gewiß – wild und grausam –, aber er war ein starker Herrscher, der die kriegerischen Stämme zusammenhalten konnte. Als er ermordet wurde, fiel das Land in den Bürgerkrieg zurück. Es gab drei Großkhane: Ali Mardan Khan, Mohammed Hassan Khan und diesen Karim Khan Sand. Jetzt scheint Karim Khan die Macht errungen zu haben. Er herrscht über ganz Persien mit Ausnahme der Provinz Khurasan, wo noch der blinde Schahrukh regiert. Hier haben wir eine große Chance, uns niederzulassen. Handelsrechte in Persien brächten der Company große Vorteile. Wenn Sie das schaffen, wird man es Ihnen danken.«

»Und wenn nicht?«

»Wenn Sie keinen Erfolg haben, brauchen Sie sich höchstwahrscheinlich keine Sorgen mehr um Ihre Zukunft zu machen. Die Perser haben unangenehme Methoden, ihre Feinde loszuwerden.«

8

Es war noch dunkel, als sie am Fallreep in die Barkasse hinunter kletterten, doch selbst zu dieser frühen Stunde war die Luft stickig und lau. Aus dem Wasser, das gegen den dunklen Rumpf der *Paragon* schwappte, stieg ein Geruch von Abfall und Verwesung auf. Vorsichtig tastete Kelso mit dem Fuß nach dem Dollbord des Beiboots. Es wäre fatal gewesen, diesen Tag mit einem Tauchbad zu beginnen. Behende sprang er dann ins Boot und sah die dunkle Silhouette des Bootsmanns am Heck.

»Ablegen, Sir?«

»Moment, Mr. Fenton kommt noch.«

Er blickte hoch und sah Fenton über die Rundung des Schiffsrumpfes kommen, und weiter oben einen verschwommenen Fleck: Adams, den Zweiten Offizier, der den Vorgang vom Schanzkleid aus beobachtete. Beide Offiziere wechselten ein paar leise Worte; aus dem ernsten Ton ihrer Stimmen hörte Kelso heraus, daß sie um sein Wohlergehen besorgt waren. Seltsam, dachte er, daß Männer, die den scheußlichen Gefahren einer Seeschlacht ohne Wimperzucken ins Auge sehen konnten, ein Duell für etwas so Besonderes hielten. Pistolen auf zwanzig Schritt, einmaliger Schußwechsel: Das war weiß Gott ein geringeres Risiko als in einer Seeschlacht, bei der die Möglichkeit, tot oder zum Krüppel geschossen zu werden, weit größer war. Er selbst spürte nichts als Ärger wegen der kostbaren Zeit, die er verschwenden mußte, um eines anderen Mannes Ehre Genüge zu tun. Seine Gedanken eilten bereits zu den Problemen des Tages voraus: Proviant und sonstige Ausrüstung mußten noch übernommen werden; die Wasserfässer mußten noch gefüllt werden – und wieviel Stauraum an Bord würden wohl die vielen Geschenke für den Schah beanspruchen?

»Alles klar, Sir?« Fenton war im Boot und hatte es offenbar eilig wegzukommen. Die Stimme des Ärmsten klang ganz gepreßt vor Spannung – Anteilnahme am Los seines Kommandanten, wie Kelso voller Dankbarkeit erkannte.

»Also gut. Ablegen.«

Geheimnisvoll lag die Nacht noch über dem Wasser. Kein Laut war zu hören außer dem regelmäßigen Eintauchen der Riemen und dem metallenen Quietschen der Dollen. Seevögel schwebten auf reglosen Schwingen vorbei, bald war die *Paragon* im Schatten verschwunden, nur das Feuer der Lotsenstation gab ihnen die Richtung zur Pier an.

Ein Rudergast räusperte sich, und der Laut schien wie ein Warnruf über die ganze Bucht zu hallen.

»Sind wir pünktlich, Sir?« fragte Fenton. »Wir wollen nicht zu spät kommen.« Er war wirklich nervös.

»Wissen Sie«, fragte Kelso, »woran mich dieser leise Pull zum Land erinnert?«

»Nein, Sir.«

»An Gheria. Erinnern Sie sich, wie wir in jener Nacht das Langboot eroberten?«

»Ja, Sir, auch wenn ich nicht dabei war. Ich war ja an Bord der *Paragon* geblieben.«

»Als Kommandierender.«

»Ja, Sir. Wurde Ihnen nicht von einlaufenden Piraten der Rückweg abgeschnitten?«

Kelso lachte. »Wir hatten beide ziemliche Angst in dieser Nacht.«

Fenton lächelte vergnügt bei diesen Erinnerungen und vergaß beinahe seine Spannung. »Aber das war noch gar nichts gegen den nächsten Tag, Sir. Wissen Sie noch, wie wir unter Beschuß durch das Fort eingelaufen sind?«

»Und an der Untiefe strandeten.«

»Wir haben allerhand Unangenehmes durchgemacht«, sagte Fenton nachdenklich. »Aber das war das Schlimmste.«

»Ein Wunder, daß wir lebend davongekommen sind.«

»Gute Seemannschaft!« erklärte Fenton mit Überzeugung, doch ohne bewußte Schmeichelei.

»Auch auf unserer jetzigen Reise werden wir gute Seemannschaft brauchen«, sagte Kelso und dachte an die tückischen Strömungen vor Oman und an die größtenteils unkartographierte persische Küste.

Die Morgenröte stieg eben herauf, als sie an der Pier festmachten. Lichtspeere zuckten über den östlichen Himmel, und ein See blutroter Wolken lag über der Stadt. In den Straßen rührte sich noch nichts. An Häuserwänden, an Mauern, unter dem dürren Laub der Bäume schliefen Hunderte armer Inder im Freien. Pariahunde und Schakale stöberten in den Gräben. In den Unterkünften der Company flammten die ersten Lichter auf – die jungen Lehrlinge und Schreiber bereiteten sich auf den Arbeitstag vor.

Stumm schritt Kelso voran; nicht weil er irgendwelche Vorahnungen wegen des Duells gehabt hätte, sondern weil er im Geiste immer noch die Probleme der Reise wälzte. Zuerst mußten die neu hinzugekommenen Matrosen eingearbeitet werden. Von den Mannschaften der letzthin aus Europa eingetroffenen Schiffe hatte er genügend abenteuerlustige Freiwillige abwerben können, um seine Verluste bei der *Lyon*-Aktion zu ersetzen; doch es würde Wochen, möglicherweise Monate dauern, bis die Leute auf den hohen Ausbildungsstand der Marine gebracht waren. Ebenso lange würde es dauern, bis sie den berechtigten Stolz auf ihre Zugehörigkeit zur bewaffneten Handelsmarine empfanden, der das besondere Charakteristikum dieser Elite ausmachte.

»Sir?«

Er wandte den Kopf und wurde sich erst dabei wieder bewußt, daß Fenton neben ihm ging.

»Ja?«

»Sir Roderick – ist er ein guter Schütze?«

»Das weiß ich nicht. Ich glaube kaum.«

»Kennt man ihn als Duellanten?«

»Nein. Wenigstens nicht in Bombay. Der Bursche ist ja erst ein paar Wochen hier.«

»Aber wir wissen nicht, wie er in England war.«

»Kaufmann war er – das liegt in der Familie. Die Savilles stehen seit einem Jahrhundert oder mehr mit der Company in enger Geschäftsverbindung.«

»Ich meine als Duellant, Sir.«

Kelso spürte plötzlich eine warme Zuneigung zu seinem besorgten Leutnant. »Keine Sorge, Fenton, das Duell ist schnell vorüber. Und vergessen Sie nicht: Wenn mir was zustößt – ich habe Sie bereits als meinen Nachfolger vorgeschlagen.«

»Auf der *Paragon*?«

»Natürlich. Wollen Sie nicht Kapitän Ihres Schiffes sein?«

»Nicht, wenn es bedeutet, daß Sie verwundet oder getötet werden.« Das war Fentons voller Ernst. Die Aufrichtigkeit in seiner Stimme war nicht zu verkennen.

»Nun, hoffen wir, daß es nicht dazu kommt«, schloß Kelso.

Sie schritten jetzt auf der Bund Road dahin. Zu ihrer Linken lagen die weißen Wohnhäuser der britischen Beamten und die Wehrmauern des im Nebel verschwimmenden Forts, das das flache, sumpfige Gelände beherrschte. Sie zogen ihre Säbel und schritten stumm weiter, auf jedes Geräusch achtend, denn hier war Banditengebiet. Ein Weißer wäre schlecht beraten gewesen, hier im Dunkeln allein zu gehen. Doch jetzt wurde es bereits Morgen, und die Sonne, die während der vergangenen Stunde vorsichtig über den Horizont gekrochen war, erhellte die Landschaft mit kaltem Glanz. Weit hinten in der Stadt krähte ein Hahn, und in einem nahen Bauernhaus heulte ein Hund.

»Sie sind früher eingetroffen als wir«, sagte Fenton und deutete in die grüne Weite des Parks, wo sich eine Gruppe Männer zusammendrängte.

»Darüber können wir froh sein. Wir wollen die Geschichte so schnell wie möglich hinter uns bringen.«

»Aye, Sir.« Fenton schritt rascher aus, auf den Pavillon zu. Sir Rodericks Sekundanten kamen ihm entgegen. Sie stelzten mit einer gewissen Würde heran, als übten sie bereits für das Begräbnis, das sie halb und halb erwarteten. Was sie sprachen, konnte Kelso nicht hören, doch er konnte es sich vorstellen: formelle Begrüßung in gedämpften Tönen – und dazu die langen, todernsten Gesichter. Saville wirkte ebenfalls nervös. Er stand an die weißgestrichene Holzwand des Pavillons gelehnt, eng in seinen langen Mantel gewickelt.

Dann wurde der Platz für das Duell bestimmt. Ein paar Minuten lang schritten sie Seite an Seite dahin, studierten das unregelmäßig wachsende Gras, bis sie einen Streifen fanden, der ihnen passend schien. Bei diesem Anblick konnte sich Kelso wiederum nur ärgern. So weit er sehen konnte, war der Grund eben und das Gras überall so verdorrt, daß es einem Mann, der sich auf seinen Schuß konzentrierte, weder Vorteile noch Nachteile bot. Doch die Formalitäten waren anscheinend wichtig.

Endlich wurden sie fertig. Sir Hubert stieß seinen Spazierstock in den Boden und gab den beiden Hauptbeteiligten ein Zeichen, heranzukommen. Fenton und Major Outhwaite warteten mit feierlicher Miene wie Ministranten bei der Messe.

Festen Schrittes kam Kelso heran. Es fiel ihm immer noch schwer, sich auf das Duell zu konzentrieren, es wirklich ernst zu nehmen. Der arme Saville dagegen zitterte vor Nervosität. Er versuchte, seinen Mantel aufzuknöpfen, doch nach einigen Versuchen mußte es der Major für ihn tun. Trotzdem – Kelso mußte der Wahrheit ins Auge sehen – konnte er ein geübter Schütze sein. Andernfalls hätte er als den leichteren Ausweg eine Beschwerde beim Gouverneur gewählt. Vielleicht hatte er gehört, daß Kelso schlecht schoß, doch auch das war unwahrscheinlich, zumal er damit rechnen mußte, daß Kelso den Säbel als Waffe wählen würde.

Die Sekundanten prüften jetzt die Pistolen. Sir Hubert hatte den Kasten geöffnet, damit Fenton die Waffen inspizieren konnte. Der arme Fenton! Er verstand nicht viel von solchen Affären. Auf See war er tapfer, besonnen, wendig und einfallsreich. Kelso konnte sich kaum einen besseren Stellvertreter vorstellen. Doch an Land, in der Gesellschaft, bei Parties oder Ehrenhändeln, war er sogar noch unbeholfener und linkischer als Kelso selbst. Bei seinem Anblick bedauerte Kelso fast, daß er den Leutnant in diese Geschichte hineingezogen hatte. Eines war jedenfalls sicher: Fenton hätte in diesem Moment liebend gern mit seinem Kapitän den Platz getauscht.

»Wollen Sie bitte die Waffe wählen, Captain?« Sir Hubert stand mit dem offenen Pistolenkasten neben ihm. Die beiden Pistolen lagen symmetrisch nebeneinander, Griff an Lauf und Lauf an Griff – es erfreute Kelsos Sinn für Ordnung. »Suchen Sie sich eine aus, Captain!«

»Wie? Oh...« Er machte eine unbestimmte Handbewegung. »Lassen Sie Sir Roderick wählen. Mir ist es egal.«

»Aber die Wahl steht Ihnen zu, Captain.«

»Na schön.« Ohne auch nur hinzusehen, nahm er die ihm zunächstliegende Pistole heraus und hielt sie, Lauf nach unten, in der Hand.

Sir Hubert hatte sich Saville zugewandt, der die zweite Pistole aus dem Kasten nahm. Er inspizierte sie sorgfältig, doch war es mehr eine Formalität. Der lange Lauf zitterte in seiner Hand, man sah es deutlich vor seinem leichentuchweißen Hemd.

»Sind Sie zufrieden, Gentlemen?«

Saville nickte rasch; er traute wohl seiner Stimme nicht.

»Captain Kelso?«

»Gewiß.« Kelso nickte lächelnd. »Ich bin überzeugt, daß Sie einwandfreie Waffen besorgt haben.«

Stirnrunzelnd fuhr Sir Hubert fort: »Also dann, meine Herren, wollen Sie bitte hier vor mir an diesem bezeichneten Punkt Rücken an Rücken Aufstellung nehmen und die Pistolen spannen.«

Kelso trat herzu und kam sich etwas komisch vor – wie ein Knabe, der bei einer Scharade mitspielte. Obwohl ihre Rücken sich nicht direkt berührten, konnte Kelso spüren, daß Sir Roderick zitterte.

»Wenn ich sage ›Jetzt‹«, sprach Sir Hubert weiter, »gehen Sie jeder zehn Schritte vor – ich werde laut mitzählen. Haben Sie zehn Schritte getan, so drehen Sie sich um und schießen. Haben Sie das verstanden?«

»Verstanden«, bestätigte Kelso.

»Gut. Sind beide bereit?«

»Bereit«, sagte Kelso.

»Also dann – jetzt!«

Kelso tat einen langen Schritt, dann fiel ihm ein, daß man ihm die Schrittlänge als ungerechtfertigten Vorteil auslegen könnte, und er trat bei Sir Huberts weiterem Zählen etwas kürzer.

»Vier ... fünf ... sechs ...«

Sollte er Saville zuerst schießen lassen?

»Sieben ... acht ...«

Was würde der arme Fenton anstellen, wenn Saville traf?

»Neun ... zehn.«

Kelso hätte die Zahl fast überhört. Er hatte schon den Fuß zum elften Schritt erhoben, als er es merkte. Er drehte sich um. Saville hatte die Pistole bereits auf ihn gerichtet und zielte sorgfältig.

Ich muß ja auch zielen, dachte Kelso. Er hob die Pistole und sah so deutlich wie auf einem klar gezeichneten Bild, welche Mühe sich Saville bei diesem entscheidenden Schuß gab. Saville visierte am Lauf entlang, seine Hand zitterte. Er schüttelte den Kopf und blinzelte. Verzweifelt versuchte er es nochmals. Die Pistole schwankte, stand endlich still. Saville schien den Atem anzuhalten. Dann drückte er ab.

Kelso spürte das Vorbeisausen der Kugel und hörte ganz deutlich den gemurmelten Kommentar Major Outhwaites: »Daneben, bei Gott!«

Na also, dachte Kelso, ohne sich besonders erleichtert zu fühlen, das ist vorbei. Jetzt können wir ja an die Arbeit gehen. Er machte einen Schritt vor und erschrak bei Sir Huberts Ruf: »Von Ihrer Position aus, Captain! Von dort!«

Natürlich, sie warteten ja alle auf seinen Schuß! Zwanzig Schritte vor ihm stand Saville mit dem verzweifelten Mut eines zu Tode Verurteilten. Er hatte die Hände sinken lassen und machte seltsamerweise einen würdigeren Eindruck als vorher.

Plötzlich ekelte die ganze Geschichte Kelso an. Er war überhaupt nicht mehr zornig auf Saville, nur noch ärgerlich, daß sie alle wegen dieser makabren Komödie so früh aus den Betten mußten.

»Schießen Sie doch, um Himmels willen«, schrie Sir Hubert.

Kelso trat einen Schritt zurück, hob die Pistole und schoß ungezielt irgendwo in die Bäume.

9

Mitten bei den letzten Vorbereitungen für das Auslaufen erhielt Kelso Befehl, sich beim Gouverneur zu melden. Ziemlich unwillig leistete er Folge, denn er wollte mit der Abendtide segeln; er konnte seinen Unmut nicht verbergen, als ihn unterwegs ein indischer Diener anrief.

»Sahib?«

Wäre er zu Fuß gewesen, hätte er den Anruf unbeachtet gelassen; doch seine Palankinträger hatten bereits angehalten, froh, ihre Last absetzen zu können. Er zog den halboffenen Vorhang zurück und fragte: »Ja? Was ist?«

»Memsahib gerne sprechen mit Sahib. Bittet Sahib, daß zu ihr kommen.«

Er blickte hinaus und stellte fest, daß er gerade Kommodore James' Haus passiert hatte. Schuldbewußt machte er sich klar, daß er im Begriff gewesen war, Bombay zu verlassen, ohne sich bei Mrs. James bedankt zu haben. Padstow hatte bereits an dem Tag, als die *Paragon* wieder zu Wasser gelassen worden war, seine Sachen abgeholt. Wäre er jetzt nicht daran erinnert worden, hätte er sich einer bedauerlichen Unhöflichkeit schuldig gemacht. »Memsahib James?« fragte er.

Der Turbankopf nickte beflissen. »Ja, Sahib.«

Mühsam kletterte Kelso aus dem Tragsessel und bedeutete den Trägern zu warten. Dann überquerte er die blendend helle Zufahrt des Hauses, in dem er fünf lange Wochen zu Gast gewesen war.

Sie erwartete ihn bereits; ihre kühle Hand und ihr ruhiges Lächeln waren Balsam nach dem stürmischen Tag. »Entschuldigen Sie bitte, daß ich Sie aufhalten ließ«, sagte sie. »Ich weiß, daß Sie viel zu tun haben. Doch ich sah Sie kommen und dachte, wenn ich Sie jetzt nicht erwische –«

»Der Gouverneur hat mich zu sich bestellt«, erläuterte Kelso. »Deswegen bin ich an Land.« Es kam ihm gar nicht in den Sinn, die Gelegenheit zu einer bequemen Lüge zu benutzen. Er hätte ihr sagen können, daß er sie hatte aufsuchen wollen, daß er an Land gekommen sei, um sich von ihr zu verabschieden; doch er hatte nun einmal eine Vorliebe für die blanke Wahrheit.

»Ich weiß«, antwortete sie. »Eine Ratssitzung ist einberufen. Auch mein Mann nimmt daran teil. Doch nicht das wollte ich Ihnen sagen.«

Mit einem unbehaglichen Gefühl fragte er: »Eine Ratssitzung, Ma'am – am Nachmittag? Wissen Sie, ob sie mich betrifft?«

»Das ist der Fall; mein Mann glaubte es wenigstens. Doch Sie brauchen sich keine Sorgen zu machen, denke ich.«

»Nein?« Mißtrauisch blickte er sie an und war erleichtert, als er sie lächeln sah.

»Ich hoffe«, fuhr sie fort, »daß Sie etwas Angenehmes zu hören bekommen werden. Aber genug davon, sonst verrate ich Geheimnisse meines Mannes. Warum ich Sie eigentlich sprechen wollte – ich wollte Ihnen danken für das, was Sie heute früh getan haben.«

»Ich verstehe nicht«, erwiderte er. »Meinen Sie, weil ich Roderick nicht getroffen habe?«

»Soviel ich hörte, haben Sie absichtlich in die Bäume geschossen.«

»Ich war schon immer ein schlechter Schütze.«

»Sie waren immer ein großherziger Gegner«, verbesserte sie. »Und ich danke Ihnen.«

Unbehaglich wechselte er das Standbein. »Wenn Sie mich jetzt entschuldigen wollen, Ma'am...«

Sie lachte. »Ich weiß – Sie müssen zum Gouverneur.«

Unbeholfen murmelte er: »Bevor ich gehe – möchte Ihnen danken... liebenswürdige Gastfreundschaft...«

Sie legte ihm leicht die Hand auf den Arm. »Ach, reden Sie keinen Unsinn! Es war mir eine Freude. Ein junger lediger Kapitän unserer Marine! Es gibt keine Dame in der ganzen Stadt, die nicht entzückt davon wäre, sich in Ihrer Gesellschaft zu befinden!«

»Muß Ihnen danken«, wiederholte er dickköpfig, »außerordentlich liebenswürdig von Ihnen.«

»Wie gesagt, nach dieser Reise müssen wir ernsthaft daran denken, Ihnen eine Frau zu suchen.«

Dösend hockten die Träger auf den Holmen der Sänfte, als er zurückkam, obwohl er nur ein paar Minuten weggewesen war. Auf seinen Anruf fuhren sie hoch und trugen ihn den Hügel hinauf.

Zu Kelsos Überraschung wurde er bereits am Eingang des Verwaltungsgebäudes erwartet. Der Adjutant des Gouverneurs stand dort und geleitete ihn unverzüglich in den Sitzungsraum. Alle standen auf, um ihn zu begrüßen: der Gouverneur, Emmerson, Raikes, Kommodore James, das listige alte Gesicht in lächelnden Falten, und überraschenderweise, etwas beschämt und beflissen aussehend, auch Saville.

»Wir müssen Sie sprechen«, erläuterte der Gouverneur, »um ein paar Mißverständnisse zu klären. Gewisse Bemerkungen, die in diesem Raum gefallen sind, haben uns wenig Ehre gemacht, da wir ja wissen, welch hervorragenden Dienst Sie der Company geleistet haben. Wir dachten – wir alle –, daß sich das am leichtesten bereinigen läßt, wenn wir Sie herbitten und uns – nun ja – entschuldigen.«

Wortlos blickte Kelso ihn an. Er war mehr verwirrt als befriedigt, denn er hatte nie angenommen, daß auch nur ein Ratsmitglied außer Saville geglaubt haben konnte, er sei vor der *Lyon* ausgerissen. Vor allem begriff er nicht, warum Saville anscheinend seine Meinung geändert hatte.

»Heute vormittag ist die *Diana* eingelaufen«, fuhr der Gouverneur fort, »mit Depeschen aus St. Helena.« Die *Diana* war eine schnelle Schaluppe, die mit Post über den Indischen Ozean segelte. »Darunter war ein persönliches Schreiben von Sir Paling Brigstock an mich.«

Nun dämmerte es Kelso. Sir Paling Brigstock war der dienstälteste Kapitän der Indienfahrer, die Kelso nach St. Helena eskortiert hatte.

»Sir Paling ist offenbar höchst beeindruckt von der *Paragon*, sowie von Ihrer Initiative und Schiffsführung.«

»Tatsächlich?«

»Er berichtete mir etwas detaillierter von Ihrem Zusammentreffen mit den französischen Schiffen – und zwar eine Geschichte, die Sie uns zu erzählen vergaßen.«

»Ich sagte Ihnen doch, Sir, wenn Sie sich erinnern –«

»Ich erinnere mich, daß Sie vage von ein paar französischen Schiffen sprachen, die bei Ihrem Erscheinen glücklicherweise abgedreht hätten und verschwunden seien.«

»Das stimmt.«

»Sie haben uns in dem Glauben gelassen, es wären kleine Schiffe gewesen.«

»Das habe ich nicht gesagt.«

»Ein Ratsmitglied«, erwiderte der Gouverneur und sah den unglückseligen Saville durchbohrend an, »meinte, es wären wohl bloß Küstenlogger gewesen.«

»Ich habe den Herrn dahingehend berichtigt, Sir, daß es keine Logger waren.«

»Nein, das waren sie allerdings nicht«, lächelte der Gouverneur, »sondern französische Linienschiffe. Eine beachtliche französische Flotte.«

»Es wäre wohl übertrieben, von einer Flotte zu reden«, widersprach Kelso. »Zum Beispiel waren nicht mehr als zwei Konvoifahrzeuge dabei, und die waren bewaffnete Schaluppen.«

»Nennen Sie es, wie Sie wollen; es waren drei Linienschiffe darunter. Sie hätten aufkommen und Ihren Konvoi in aller Ruhe fertigmachen können. Sie hätten die *Paragon* und die *Malabar* versenken und die Indienfahrer ohne weiteres kapern können.«

»Das hätten sie tun können, Sir, aber sie haben es nicht getan.«

Der Gouverneur nickte und sah Kelso voller Staunen und Bewunderung an. »Nein. Sie hätten, aber sie haben nicht.«

»Und warum nicht?« warf Emmerson aufgeregt ein. »Sir Paling schreibt es uns. Darf ich vorschlagen, Euer Exzellenz, daß Sie uns die betreffende Stelle nochmals vorlesen?«

Der Gouverneur nahm den Brief und fuhr mit dem Finger bis zur zweiten Seite hinunter.

»›... muß gestehen‹«, las er, »›daß ich uns für verloren hielt. Drei Linienschiffe gegen fünf Indienfahrer, alle schwer beladen, die bei dem frischen Wind vielleicht vier Knoten* liefen! Ich hatte jedoch die Rechnung ohne unsere Eskorte gemacht und ohne Kelso. Was konnte man unter solchen Voraussetzungen von einer Verteidigung erhoffen? Unsere Eskorte bestand aus einer kleinen Fregatte und einer bewaffneten Schaluppe; die konnten versenkt sein, ehe sie einen Treffer anbrachten. Das war, mochte man denken, eine verzweifelte Situation.

Kelso kam an Bord, als die Franzosen für uns noch unter der Kimm standen, und erläuterte seinen kühnen Plan: Wir sollten die Company-Flagge einholen und die Kriegsflagge hissen. Wenn wir in breiter Front gegen die Franzosen ansegelten, würden sie uns vielleicht für Kriegsschiffe halten. Wie Sie wissen, besteht eine oberflächliche Ähnlichkeit zwischen einem Indienfahrer und einem Zweidecker-Linienschiff älterer Bauart. Mit ausgerannten Geschützen und vollem Tuch war es allenfalls möglich, daß ein ängstlicher französischer Admiral uns für etwas Gefährlicheres halten mochte.

Zuerst konnte ich nicht glauben, daß Kelso im Ernst sprach. Ich selbst hätte es vorgezogen, abzudrehen und nach Möglichkeit außer Schußweite zu bleiben, bis es dunkel war. Doch Kelso wies darauf hin, daß wir trotz des Windvorteils kaum hoffen konnten, ihnen auf Dauer aus dem Wege zu gehen. Todsicher würden sie uns einen nach dem anderen kapern, dann wäre unsere gesamte wertvolle Ladung verloren gewesen. Um es kurz zu machen: Ich wurde schließlich davon überzeugt, daß Kelsos Plan, so wenig verlockend er auch scheinen mochte, trotzdem der beste war, der uns zur Verfügung stand. Wir wechselten die Flaggen, rannten die Geschütze aus und nahmen Kurs direkt auf den Feind. Damit die Täuschung vollständig wurde, segelte

---

* 1 Knoten = 1 Seemeile pro Stunde

Kelso mit seiner *Paragon* und der *Malabar* voraus. Alsbald gingen wir kühn unter vollem Tuch in breiter Linie auf den Feind los, der zu diesem Zeitpunkt nicht mehr als fünf Meilen entfernt war. Auch die Franzosen gingen zunächst vor, und ich muß gestehen, daß meine Hoffnungen fast auf Null sanken. Die *Paragon* war uns jetzt weit voraus und kam in großen, schwungvollem Bogen auf die feindliche Linie zu. Sie mochte in Schußweite sein, denn unser Ausguck meldete Mündungsfeuer von dem französischen Führungsschiff.

Dann, als es schon so aussah, als ob die Täuschung, wenn sie überhaupt gelungen war, nicht mehr viel länger aufrechterhalten werden konnte, änderten die Franzosen plötzlich den Kurs. Es gab ein mächtiges Hurrageschrei, als der Ausguck das meldete; wir konnten es auch schon von Deck aus deutlich genug erkennen. Ein paar Minuten später hatte die gesamte französische Flotte gehalst und segelte auf südwestlichem Kurs feige davon. Dieser Kapitän Kelso! Wenn es nach Verdienst ginge, Euer Exzellenz, müßte er Admiral sein oder zumindest Kommodore!‹«

Der Gouverneur legte den Brief hin und blickte Kelso lächelnd an. »Deshalb haben wir Sie hergebeten, Kelso. Und um uns wegen unserer Zweifel zu entschuldigen.«

»Danke, Sir«, erwiderte Kelso. »Aber dieser Brief handelt ja, wie mir scheint, nur von der Hinreise. Über mein Treffen mit der *Lyon* sagt er nichts aus.«

»Natürlich nicht. Zu der Zeit waren Sie ja allein.«

»Und Sie haben nur mein Wort für den Verlauf dieser Aktion.«

Mit ehrlicher Bekümmernis erwiderte der Gouverneur: »So dürfen Sie nicht denken, Kelso. Wenn dieser Bericht hier freigegeben wird – und ich versichere Ihnen, daß er jedermann zugänglich sein wird –, dann gibt es in ganz Bombay keinen Menschen, Mann oder Frau, der sich nicht wünschen wird, Ihnen die Hand zu schütteln.«

»Jawohl«, stimmte Emmerson ein, »und Sie werden als das anerkannt werden, was Sie sind – ein Held.«

»Genau meine Meinung«, sagte Raikes.

»Meine ebenfalls.« Alle wandten sich Saville zu, der mit diesen Worten einen ungeschickten Rückzug antrat. »Muß mich entschuldigen, Kelso, für das, was ich gesagt habe. Gebe jetzt zu, daß ich unrecht hatte. Entschuldige mich hiermit.«

»Danke.« Kelso stand auf. »Jetzt, Eure Exzellenz, wollen Sie mich bitte beurlauben. Ich hoffe, mit der Abendtide auszulaufen.«

Der Gouverneur lachte. »Kelso, ich habe es schon früher gesagt –

viele Male: Ich werde Sie nie verstehen. Da ist dieser Brief, er enthält gute Nachrichten, er muß Ihnen eine große Erleichterung bedeuten, aber sie sind nur daran interessiert, die Tide nicht zu versäumen.«

»Ich habe meine Segelorder bekommen«, entgegnete Kelso steif, »und es handelt sich, soviel ich weiß, um eine wichtige Mission.«

Der Gouverneur wurde wieder ernst. »In der Tat. Das Direktorium in London und auch die Regierung legen großen Wert auf ein Handelsabkommen mit Persien. Es ist ein schwieriger Auftrag, den man Ihnen da gegeben hat; aber ich weiß, Sie werden Erfolg haben.«

»Ich werde mein Bestes tun, Sir.«

»Und, Kelso —«

»Sir?«

»Noch etwas. Die *Diana* ist auf der nördlichen Route gesegelt, so hoch es der Passat erlaubt. Sie hat ein französisches Linienschiff gesichtet, vermutlich die *Lyon*, die unter einem Behelfsrigg langsam mit Nordkurs segelte.«

Kelso war plötzlich erregt. Sein hartes und eben noch ausdrucksloses Gesicht war voller Leben und Erwartung. »Zum Teufel mit ihr! Dann ist es möglich – nein, wahrscheinlich –, daß die *Lyon* ebenfalls in persische Gewässer will.«

»Es ist möglich – jawohl.«

Kelso schlug mit der flachen Hand auf den Tisch. »Es muß so sein. Es muß! In ihrem Zustand kann sie nicht riskieren, direkten Kurs auf die Ile de France zu nehmen. Wahrscheinlich ist sie ernsthaft leck und braucht mindestens einen neuen Mast. Sie muß sich dicht unter Land halten.«

»Schon möglich.«

»Sie muß weitersegeln, bis sie eine Stelle findet, wo sie aufgelegt und repariert werden kann.«

»Ja.«

»Das gibt es an dieser Küste nirgends. Wahrscheinlich ist sie irgendwo angelaufen, um provisorische Reparaturen vorzunehmen. Vielleicht hatte sie sich bloß ein paar hundert Meilen von hier versteckt. Dabei mußte sie ständig vor unseren Patrouillen auf der Hut sein. Sie muß sich stets bereitgehalten haben, sofort wieder die hohe See zu gewinnen.«

»Aber wenn dem so ist, warum nimmt sie dann Kurs auf Persien?«

»Weil das die nächste Küste ist, die sie einigermaßen ungefährdet anlaufen kann. Ich schätze, es ist so etwas wie ein Glücksspiel – der Kommandant hofft, daß die Perser nicht auf ihn schießen werden.

Wenn er irgendwo eine stille Bucht findet, kann er sein Schiff auf dem Strand trockenfallen lassen und in Ruhe reparieren.«

»Und dann?«

»Dann kann er wieder in See gehen, südlichen Kurs nehmen und unsere Schiffahrt attackieren.«

Mit finsteren Mienen hatten Gouverneur und Ratsmänner zugehört. Sie waren geneigt, Kelsos Vermutungen zu teilen. Raikes sagte: »Und Sie werden nicht da sein, Captain. Mit den Kräften, die wir zur Verfügung haben – der Kommodore wird es bestätigen – sind unsere Kauffahrer hilflos.«

»Stimmt«, nickte der Kommodore.

»Es stimmt«, sagte Kelso, »wenn ich die *Lyon* nicht rechtzeitig finde.«

»Sie meinen, Sie wollen sie angreifen?«

»Genau«, antwortete Kelso hochbefriedigt. »Ich habe eine lange Rechnung mit diesem Franzosen zu begleichen. Sie können sich darauf verlassen, Gentlemen, wenn die *Lyon* in persischen Gewässern ist, finden wir sie.«

10

Mit stetem raumem Backbordwind segelten sie nordwärts über die ruhige See. Der Himmel war klar und die Kimm leer, abgesehen von den dunklen Erhebungen der Küstenlinie und fernen, verschwommenen Bergen. Kelso war entschlossen, in Sichtweite des Landes zu bleiben. Wenn die *Lyon* wirklich schwer beschädigt war, konnte sie immer noch auf der Suche nach einer geschützten Bucht sein. Da sie nach dem Gefecht so völlig verschwunden war, hatte sie vermutlich die schlimmsten Schäden zunächst provisorisch repariert und segelte jetzt zweifellos mit notdürftig verstopften Lecks und einem Behelfsrigg nordwärts, in der Hoffnung, irgendwo in den geschützten Gewässern des Persischen Golfes eine Totalüberholung vornehmen zu können. Kelso beschattete seine Augen und starrte zum Vortopp, wo ein Ausguck saß, der Befehl hatte, die Küste genau zu beobachten. Unangenehm war allerdings – und Kelso war sich nur allzu klar darüber –, daß er der Küstenlinie genau folgen und somit Umwege von Hunderten von Meilen in Kauf nehmen mußte, um sicher zu sein, daß er die *Lyon* nicht verfehlt hatte. Falls sie noch schwamm, auch nur mit einem Fetzen Tuch, dann würde sie gefunden werden, dessen war er sicher; doch wenn sie irgendwo mit abgeschlagenen Segeln lag und nur die dunklen Striche der Masten und Spieren vor einem noch dunkleren Hintergrund zeigte, dann wäre es selbst einem scharfäugigen Toppgasten zu verzeihen gewesen, wenn er sie nicht sichtete. Wenn sie auf Strand lag, würde ein Streifzug an Land nötig sein, um sie zu finden.

Er wandte sich um, als Fenton übers Achterdeck kam und grüßte. »Acht Glasen, Sir. Bitte um Erlaubnis zum Wachwechsel.«

»Erteilt.« Kelso hatte das Glasen nicht gehört und war tatsächlich so tief in seine Gedanken versunken gewesen, daß er nicht einmal wußte, wer Offizier der Wache war. Doch nun war es ihm ganz angenehm, daß er mit dem realistischen Fenton reden konnte. »Nichts von ihr zu sehen«, sagte er. »Ich kann nicht glauben, daß sie uns entwischt ist.«

»Wird wohl irgendwo nördlich von uns stehen, Sir. Wir holen sie bestimmt noch vor dem Persischen Golf ein.«

»Hoffentlich.«

»Außer sie segelt in der Nacht an uns vorbei.«

Kelso gab keine Antwort darauf. Es war ihm klar, daß er dem Problem ins Gesicht sehen mußte, das schon den ganzen Vormittag in seinem Unterbewußtsein gelauert hatte. Wollte er einigermaßen sicher sein, daß er den Franzosen nicht verfehlte, so mußte er in der Nacht beigedreht liebenbleiben; das bedeutete noch zusätzliche Verlängerung einer ohnehin schon sehr langen Reise. In seiner Segelorder stand nichts davon, daß Eile vonnöten sei; doch er wußte, daß die Kampfkraft der Bombay-Marine durch die Abwesenheit der *Paragon* so geschwächt war, daß die Sicherheit der Schiffahrt nicht mehr gewährleistet werden konnte. Trotz seiner Begierde, auf die *Lyon* zu stoßen, mußte er seine persische Mission erledigen und baldmöglichst nach Bombay zurückkehren. »Das ist nicht zu ändern«, sagte er, »wenn sich das Wetter hält, segeln wir die Nacht durch.«

»Nur unter Bramsegeln, Sir?«

»Unter vollem Tuch.«

Nachdem er diese Entscheidung getroffen hatte, verbannte er sie aus seinen Gedanken. Es gab andere, unmittelbarere Probleme. Die neuen Matrosen zum Beispiel.

Mit fast unheimlicher Hellsichtigkeit unterbrach Fenton seine Gedanken. »Entschuldigung, Sir...«

»Ja?«

»Es ist wegen der neuen Leute, Sir. Mit Ihrer Erlaubnis würde ich gern mit ihnen exerzieren.«

»Sobald Sie wollen.« Er war froh, daß Fenton von sich aus darauf kam. Zuviele Erste Offiziere wären bereit gewesen, sie als Seeleute zu akzeptieren, die bereits im Dienst auf Indienfahrern gehärtet waren. Aber Fenton wollte sie auf den Ausbildungsstand der Marine bringen. »Sie können Mr. Craig Bescheid sagen. Er soll mit den Kanonieren Geschützexerzieren ansetzen.«

Die Sonne stand hoch, doch es wehte noch eine frische Brise, und die Mannschaft kam mit Schwung aus dem Logis gerannt. Kelso stand an der Querreling, während die Männer die Wanten hinaufkletterten und auf den Rahen auslegten. Es gab allerlei Frotzeleien und vergnügten Wettbewerb zwischen Backbord- und Steuerbordcrew. Unten auf dem Hauptdeck bedienten die Männer schwitzend die Geschütze. Ein gutes Zeichen, dachte Kelso, daß die Reise in so guter Stimmung begann. Offenbar hatten die schweren Verluste des letzten Gefechts wenigstens in dieser Hinsicht keinen Schaden angerichtet.

Eine Stunde später war der Drill beendet und die Freiwache wieder im Logis. Fenton, als Mann der Perfektion, machte ein unzufriedenes Gesicht, als er Kelso die erreichten Zeiten meldete: »Sechsundzwanzig Minuten, zehn Sekunden, Sir«, sagte er. »Das muß besser werden.«

»Wird schon, wenn Sie sie im Auge behalten. Aber da Sie gerade hier sind, Mr. Fenton, möchte ich Ihnen über unseren Auftrag Bescheid sagen.«

»Jawohl, Sir.«

Falls mir etwas zustößt, die Order liegt in meinem Schrank. Bis dahin – aber das Wesentliche ist, daß wir nach Persien segeln.«

»Ja, Sir.«

Kelso sah ihn prüfend an. »Wußten Sie das?«

»Die Leute wußten es, Sir.«

Kelso nickte. Es war immer dasselbe: Geheime Befehle wurden ausgegeben; der Kommandant sollte sie seinem Stellvertreter erst auf hoher See mitteilen. Aber die Mannschaft wußte längst Bescheid. Es war ein Nachrichtendienst, der zum Teil auf genauer Beobachtung von Einzelheiten beruhte – die Anzahl der an Bord genommenen Wasserbehälter, die Menge der Verpflegung und Munition, irgendetwas Besonderes in der Zuladung –, zum Teil aber auch auf Intuition. Und er funktionierte erstaunlich gut.

»Nun, die Leute haben recht. Wir segeln in den Golf ein.«

»Haben wir dort einen Kampfauftrag?«

Kelso lächelte. »Nicht direkt. Kommt darauf an, was wir finden.«

»Arabische Piraten, Sir. Der Golf wimmelt von ihnen. Auch Freibeuter* aller Wahrscheinlichkeit nach.«

»Händel werden wir nicht suchen«, erwiderte Kelso, »aber wenn wir hineingeraten – nun, dann werden wir das Unsere tun.« Er beugte sich über das Schanzkleid, lauschte auf das sanfte Rauschen der Bugwelle und sah den Fliegenden Fischen nach, die dem Schiff folgten und Sprünge von zehn, zwanzig Fuß machten. »Erinnern Sie sich noch an Captain Elton?« fragte er.

»Ich habe von ihm gehört, Sir.«

»Er hatte ein Bündnis mit Nadir Schah geschlossen, dem großen Herrscher Persiens. Sie planten, eine Flotte aufzubauen, die den Golf beherrscht und starken Einfluß auf die Politik dieses Gebiets gehabt hätte.«

»Aber er wurde umgebracht – Nadir Schah, meine ich.«

»Ja, leider. Er wurde ermordet, bevor er Elton helfen konnte, seinen Plan auszuführen. Und dann wurde auch Elton getötet.«

»Sollen wir diesen Plan wieder aufnehmen?«

»Nicht direkt, obwohl ich glaube, daß es letzten Endes darauf hinausläuft. Unsere jetzige Reise könnte dazu der erste Schritt sein.«

»Aber wie lautet denn nun unsere Order?«

»Wir sollen den neuen Schah von Persien aufsuchen, einen Großkhan namens Karim Khan Sand.«

»Das dürfte doch nicht schwierig sein.«

»Es fragt sich. Persien ist noch im Aufruhr. Nach unseren Informationen wird Karim Khan bald der wirkliche Herrscher Persiens sein, wenn er es nicht schon ist. Er nennt sich *vakil*, Treuhänder, und die Stammesfürsten erkennen ihn als ihren Führer an. Als Hauptstadt hat er sich eine Stadt namens Schiras erwählt, hundertfünfzig Meilen landeinwärts von Buschir. Dort müssen wir hin, oder vielmehr – ich muß hin.«

»Wieviel Mann werden Sie mitnehmen, Sir?«

»Das weiß ich noch nicht. Das hängt ab von – oh, von hundert Dingen. Ich werde die Lage beurteilen, wenn wir dort sind.«

»Aber wenn Karim Khan der neue Herrscher ist –«

»Wenn ... Aber wir wissen es nicht genau. Das Land ist, wie gesagt, im Aufruhr. Karim Khan war der mächtigste der drei kriegerischen

---

* Freibeuter benutzten – im Gegensatz zu den durch Kaperbriefe ihrer Regierungen ausgewiesenen Kaperkapitänen – das Kriegsrecht nur als Vorwand und galten wie die Piraten als Seeräuber. (Anm. d. Übers.)

Großkhans. Nach unseren Informationen hat er seine beiden Rivalen Ali Mardan Khan und Mohammed Hassan Khan überwunden und ist praktisch Herrscher über ganz Persien – oder fast ganz Persien.« Kelso mußte lächeln und fügte hinzu: »Sie werden sehen, daß unsere neue Order alles andere als genau ist.«

»Mit allem Respekt, Sir, es ist die verflixteste Aufgabe, die Sie jemals übernommen haben. Wie wollen Sie herausbekommen, wie die Dinge wirklich liegen, ehe Sie an Land gehen? Und wie wird Ihre eigene Position sein, wenn dieser Karim Khan inzwischen gestürzt worden ist? Vielleicht sitzt ein fanatischer Britenhasser auf dem Thron. Sie könnten glatt in eine Falle laufen.«

»Es gibt auch bei Karim Khan keine Garantie dafür, daß er uns wohlgesinnt ist«, antwortete Kelso. »Tatsächlich spielen so viele Unsicherheitsfaktoren mit, daß es sinnlos ist, die Zeit mit Spekulationen zu vergeuden. Wenn wir da sind, werden wir weitersehen.«

Die Disziplin hinderte Fenton daran, einen anderen Kommentar als einen ärgerlichen Grunzer von sich zu geben; und Kelso fuhr fort: »Wie die Dinge wirklich liegen, werden wir bestimmt daran merken, wie man uns im Golf empfängt.«

»Sie meinen die Küstenbatterien, Sir?«

»Diese und Aktionen der persischen Flotte.«

Verwirrung malte sich auf Fentons Zügen. »Aber ich dachte, Sie sagten –«

»Vielleicht ist es übertrieben, von einer Flotte zu sprechen. Sie ist nicht das, was Elton oder Nadir Schah im Sinne hatten. Aber sie haben vielleicht dreißig, vierzig schnelle, wendige Dhaus. Die können sogar einer gutbewaffneten Fregatte gefährlich werden.«

»Bestimmt, Sir. Erinnern Sie sich noch an die Dhaus und Felukken, die Angria uns auf den Hals geschickt hat?*«

»Wenn wir unwillkommen sind, erwartet uns bestimmt ein heißer Empfang.«

»Sie werden versuchen, uns zu entern«, sagte Fenton und rieb sich erwartungsvoll die Hände. »Lillywhite und seine Seesoldaten – und wir alle gut bewaffnet –, sie werden's schon kriegen!«

»Vielleicht kommt es so weit«, sagte Kelso trocken. »Aber wir müssen abwarten, ob sie uns angreifen.«

»Selbstverständlich«, nickte Fenton.

»Mit irgendjemandem werden wir uns bestimmt herumschlagen

---

* s. Dillon White: *Kelsos erstes Kommando*, Ullstein Buch 20 066

müssen, bevor wir diese Mission hinter uns haben. Ich kann nur beten, daß es die *Lyon* ist«, sagte Kelso abschließend und verließ das Achterdeck mit einem instinktiven Blick auf den Kompaß und die prallstehenden Untersegel. Schon stieg er die Kampanjeleiter hinunter, da hörte er einen schrillen Ruf aus dem Topp: »Segel an Steuerbord voraus, Sir!«

11

Nur die Würde seiner Stellung als Kapitän bewahrte Kelso davor, in größter Eile aufzuentern. Als er sich in die Wanten schwang und den langen Weg zum Vortopp begann, war er sich bewußt, daß ihn jeder Matrose an Deck mit wachsamen Augen beobachtete. Er wußte, daß die Bedeutung ihrer schwierigen Küstenfahrt den Männern vor dem Mast durchaus bekannt war. Vermutlich hatten sie genug von den Lügen gehört, die in Bombay umliefen, um den dringenden Wunsch zu spüren, die Rechnung mit der *Lyon* zu begleichen. Nur eine zweite und diesmal erfolgreiche Aktion konnte ihre Ehre wieder herstellen.

Heftig klopfte sein Herz, und das nicht nur, weil er siebzig Fuß hoch aufgeentert war. Jetzt kletterte er unter der Püttingswant durch; wie verrückt schwankte der Masttopp über seinem Kopf. Dann war er durch und oben, schweißgebadet von der anstrengenden Kletterei, und dann hatte er sicheren Stand auf dem Vortopp.

»Was hälst du von ihr?« fragte er den Ausguck.

»Kann's nicht genau sagen, Sir. Sie ist klein und segelt dicht unter der Küste.«

»Klein!« Seine Hoffnungen sanken.

»Könnte ein Eingeborenenboot sein, Sir, eine Felukke, bloß die Segel stimmen nicht.«

»Laß mich mal sehen!« Er nahm das Glas und bemühte sich, es trotz seines schwergehenden Atems ruhig zu halten. »Da vorn, Sir. Sie ist jetzt fast genau querab.«

Dann sah er das Segel – einen weißen Schimmer vor dem dunklen Hintergrund der Küste. Das Fahrzeug war dicht unter Land, nur ein kaum erkennbarer Streifen Wasser trennte es von der Küste. Der Schnitt der Segel verblüffte ihn: Es hatte ganz entschieden kein Lateiner-Rigg. Und ein Linienschiff, das war ebenso sicher, konnte es auch nicht sein.

»An Deck!« rief er hinunter, »Kursänderung hart Steuerbord!«

Der Bootsmann rief seine Befehle, die Deckswache rannte an die Brassen, und mit neu gebraßten Rahen ging die *Paragon* auf den anderen Kurs.

Sie liefen jetzt vor einem richtigen ›Soldatenwind‹*, und es dauerte nicht lange, bis Kelso die Küste, den breiten Sandstrand und ein paar verkümmerte Bäume dahinter ausmachen konnte. Das Fahrzeug, das ebenfalls seinen Kurs geändert hatte und ihnen entgegenkam, war ein kleiner Küstenlogger. Ob französisch oder englisch, mußte sich noch herausstellen. Doch er wollte kein Risiko eingehen.

»Mr. Fenton!« rief er.

»Ja, Sir?«

»Alle Mann auf Gefechtsstation!«

»Aye, aye, Sir.«

»Mr. Craig soll die Steuerbordgeschütze gleich ausrennen!«

Wenn es ein armierter Logger war, dann mußte er ihn versenken, obwohl ein Logger kaum hoffen konnte, einer Fregatte Widerstand zu leisten. Er kam ihnen entgegen; also würde er wohl britisch sein, doch mußte man mit der Kriegslist eines kühnen französischen Kommandanten rechnen, der sich auf diese Weise nahe genug heranmogeln wollte, um ein paar wirkungsvolle Schüsse anzubringen.

Die Distanz hatte sich erheblich verringert, und die *Paragon* lief nun unangenehm dicht unter einer Leeküste. Kelso enterte wieder ab, begab sich aufs Achterdeck und beobachtete den aufkommenden Logger durch sein Glas. Er schien tatsächlich britisch zu sein; die Companyflagge konnte er jedoch nicht ausmachen.

»Ruder hart Luv!« rief er dem Rudergänger zu, und Fenton befahl er: »Großbramsegel backbrassen!«

Die *Paragon* drehte bei und vertrieb langsam mit dem Wind, so daß die Steuerbordkanonen direkt auf den aufkommenden Logger gerichtet waren.

Dieser kam immer noch weiter auf, und es schien, als wolle der Kapitän direkt an der wartenden Fregatte längsseits gehen; doch plötzlich drehte auch er bei, nur eine knappe Kabellänge in Lee der *Paragon.*

»Sie fieren ein Dingi ab«, sagte Adams, und alsbald sah Kelso die nassen Riemen in der Sonne blitzen.

Das Dingi machte längsseits fest, und ein Mann, anscheinend der

---

* einem voll achterlichen und stetigen Wind, mit dem sogar ein Seesoldat das Schiff segeln könnte (d. Übers.)

Kapitän, kletterte langsam das Fallreep herauf: ein kleiner, untersetzter Waliser mit einer langen weißlichen Narbe, die von der Stirn bis zum Wangenknochen lief. Er stolzierte über das Hauptdeck, kam die Kampanjeleiter herauf und grüßte schwungvoll.

»Captain Evans, Sir, zu Ihren Diensten.«

»Kelso von der Bombay-Marine.«

»Sehr erfreut, Captain, den Träger eines so berühmten Namens kennenzulernen.«

»Von Ihnen habe ich, wie mir scheint, noch nichts gehört«, entgegnete Kelso. »Was sind Sie – Handelsfahrer auf eigene Rechnung?«

»Nun, Captain, ich bin in durchaus legitimen Geschäften hier, verstehen Sie. Ich bin ein ehrlicher Mann und –«

»Ist das ein Fahrzeug der Company?«

»Nein, Sir, aber –«

»Sie wissen, daß Handel in diesen Gewässern der Company vorbehalten ist?«

»Wirklich?« Evans' Erstaunen war deutlich übertrieben. »Ich muß vom Kurs abgekommen sein – Tatsache. Wenn ich das gewußt hätte –«

»Im Umkreis von tausend Meilen haben Sie nichts zu suchen. Sie kennen die Strafe für das unbefugte Befahren von Company-Gewässern?«

Der Waliser rieb sich das Kinn und studierte Kelsos Miene lange und gedankenvoll. Dann sagte er überredend: »Captain, Sie wissen, wie so was ist. Ich bin ein armer Mann und betreibe einen kleinen, ehrlichen Handel – ganz unbedeutend.«

»Ich muß Sie festnehmen.«

»Aber Captain! Das können Sie doch nicht tun! Was wird aus meinem Schiff?«

»Wenn ich Zeit hätte, würde ich es nach Bombay schleppen. Wie die Dinge liegen, muß ich es versenken.«

»Versenken?« Um Gottes willen, Captain, das werden Sie doch nicht tun!«

»Ich gebe Ihnen eine Stunde, um Ihre Besatzung von Bord zu schaffen.«

»Aber Captain, wo sollen wir denn hin?«

»Wir sind ja nur eine Meile von der Küste entfernt.«

Auf dem wenig vertrauenswürdigen Gesicht des Walisers drückte sich das erste ehrliche Gefühl aus: Angst. Vermutlich, dachte Kelso, hatte er gerade ein heikles Geschäft mit den Eingeborenen abgeschlossen. Wahrscheinlich hatte er sie betrogen oder hintergangen und fürchtete sich jetzt, an Land zu gehen.

»Wenn es Ihnen nichts ausmacht, Captain, dann möchten wir uns lieber in Ihre Gefangenschaft begeben.«

»Ich habe keinen Platz für Gefangene.«

»Dann nehmen Sie uns in Ihre Mannschaft auf. Ich habe ein paar gute Männer, Captain, auf die Sie stolz sein könnten – und ich selbst – nun, ich würde als Deckoffizier Dienst machen.«

»Wenn ich Sie überhaupt annehmen würde, dann müßten Sie allesamt vor dem Mast dienen.«

Der Waliser hob die Schultern. »Wir sind in Ihrer Gewalt, Captain. Sie müssen tun, was Sie für richtig halten.«

»Eine Stunde«, sagte Kelso, »dann versenke ich Ihr Fahrzeug.«

Der Waliser wandte sich ab und ging schleppenden Schritts zur Kampanjeleiter. Dort wandte er sich um. Tränen standen in seinen Augen. »Sie tun etwas Furchtbares, Captain. Mein schönes Schiff – sechs Jahre besitze ich es jetzt, und auf allen sieben Weltmeeren finden Sie keins, das besser gebaut ist und sich besser segelt.«

»Eine Stunde«, wiederholte Kelso.

Der Kapitän wandte sich wieder zur Treppe und hatte schon den Fuß auf der obersten Stufe, da wandte er sich mit einer neuen, schwachen Hoffnung noch einmal um. »Das wäre mir nie passiert, Captain, wenn ich reicher wäre. Ich bin kein Freihändler. Ich bin ein ehrlicher Seemann, der versucht, seinen Unterhalt zu verdienen.«

»Aber nicht in Company-Gewässern.«

»Hätte ich mehr Geld, Captain, dann könnte ich ein größeres Schiff fahren – eine feine Fregatte wie Ihre. Dann könnte ich westlich über den Atlantik segeln und brauchte mich vor keinem Sturm zu fürchten oder mich von einem verdammten Franzosen auf Strand jagen zu lassen.«

Das konnte schon stimmen, dachte Kelso. Diese freien Händler waren weder Verbrecher noch Piraten. Gewöhnlich waren sie ehrliche Seeleute, die ein kleines Schiff und Geschmack am Abenteuer besaßen. Für solche Männer waren die reichen Länder des Ostens eine ständige Verlockung. Sie hörten Geschichten, meist übertriebene, von großen Reichtümern, die man auf einer einzigen Reise gewinnen könne. Sie sahen die Ostindienfahrer schwer beladen in Gravesend einlaufen und deren Kapitäne wie die Lords zur Company-Verwaltung nach Leadenhall kutschieren. Das Monopol der Company, das zu Zeiten eingeführt worden war, als lange Seereisen noch riskanter waren als jetzt, stempelte diese freien Händler zu unberechtigten Eindringlingen.

»Wie sind Sie eigentlich hergekommen?« fragte Kelso, denn er konnte sich nicht vorstellen, daß ein kleiner unbewaffneter Logger die gefährliche Reise von England bis zum Persischen Golf schaffen konnte.

Mit frischer Hoffnung trat der walisische Kapitän ein paar Schritte näher. »Im Januar sind wir von den Downs ausgelaufen, Captain. Januar 1759.«

»Vor achtzehn Monaten? Und jetzt sind Sie erst hier?«

»Stimmt, Captain. Wir kamen glatt durch den Ärmelkanal, was bei diesem Krieg, der im Gange ist, schon allein eine knifflige Sache war.«

»Und dann südlich?«

»Und dann südlich – über die Biskaya, wobei wir fast draufgingen, und die afrikanische Küste entlang.«

»Haben Sie keine französischen Schiffe, Freibeuter oder Piraten gesichtet?«

»Oh, gesichtet schon, Captain, aber wir waren denen ein bißchen zu klein zum Kapern.«

»Wie meinen Sie das?«

»Wir klebten immer an der Küste. Deswegen haben wir ja so lange gebraucht. Zehntausend Meilen – und immer hübsch Land in Sicht.«

»Sie rundeten das Kap und segelten dann wieder hinauf nach Madagaskar?«

»Richtig, Captain. Bei Oman fuhren wir in den Golf ein.«

»Oman!« Plötzlich fiel Kelso ein, daß dieser Waliser genau aus der Gegend kam, wohin die *Paragon* segeln sollte. »Wie war's da oben?« fragte er.

»Sir?«

»Arabische Flotten, meine ich. Irgendwelche Anzeichen von Krieg?«

»Wir sind nicht an Land gewesen, Captain, und sind auch nicht durch den Golf nach Persien gesegelt; aber später landeten wir bei ...« Befangen hielt er inne. »Als wir landeten, hörten wir, daß oben in Persien gekämpft würde.«

»Haben Sie Näheres gehört?«

»Nichts weiter, Captain. Ich konnte mir nur zusammenreimen, daß es einen neuen Schah gibt und daß gewisse Stämme ihn nicht anerkennen. Sie wissen ja, wie das ist. Jedenfalls war's nicht gut fürs Geschäft.«

Starr blickte Kelso über die glitzernde See. Den Waliser hatte er beinahe vergessen. Er sah bereits neue Schwierigkeiten für seine Mission und arbeitete die möglichen Taktiken aus.

»Wenn Sie mir noch eine Chance geben, Captain, dann verspreche ich Ihnen bei allem, was mir heilig ist, daß Sie mich in diesen Gewässern nicht mehr sehen werden.«

»Wie?« Zerstreut blickte Kelso ihn an. »Und Franzosen haben Sie keine gesehen?« fragte er.

»Aber ja, erst vor drei Tagen!«

»Was?«

»Deswegen mußten wir ja an Land.«

Kelso zwang sich, ganz beiläufig weiterzufragen: »Ein französisches Schiff haben Sie in diesen Gewässern gesehen?«

»Ja, Captain. Vor drei Tagen, wie gesagt. Ein großes Kriegsschiff, ein französisches Linienschiff, mit Kurs nach Norden.«

12

Vor einer achterlichen Brise segelte die *Paragon* mit Nordkurs. Jeder einzelne an Bord schien begriffen zu haben, daß die Zeit der Ungewißheit vorbei war: die *Lyon* lag nur ein paar Tage voraus. Spürbar erregt eilten die Männer an die Brassen und schwärmten die Wanten hinauf, als der Befehl kam, mehr Segel zu setzen. Selbst bei den normalen Schiffsgeräuschen, dem Singen des Windes im Rigg, dem Knarren der Planken und Spieren klang ein neuer, drängender Unterton mit. Der Wind frischte auf, und die *Paragon* steckte ihre Nase in die Wogen wie ein Hund auf der Fährte und warf dann wieder ihren Bugspriet hoch, daß die Gischt bis zum Großmast übers Deck flog.

Kelso stand auf dem Achterdeck und suchte die leere Kimm ab. Sein Gesicht blieb ausdruckslos wie immer, doch innerlich war er so erregt wie selten. Der Loggerkapitän, der seine unerwartete Begnadigung kaum fassen konnte und sich nun, wie man noch sehen konnte, nach Steuerbord davonmachte, hatte ausgesagt, daß die *Lyon* immer noch reichlich angeschlagen war. Sie habe Schlagseite, berichtete er, und mache vielleicht drei Knoten. Sie sei so dicht unter Land gewesen, daß der Logger sie erst im letzten Moment gesichtet hatte. Doch sie hatte sich nicht um ihn gekümmert, ganz offensichtlich nur bestrebt, einen Nothafen zu finden, wo sie ihre schweren Schäden reparieren konnte.

Aber wo? Nach der Schilderung des Loggerkapitäns sah es so aus, als sei es de Rocheville gelungen, das Nötigste provisorisch zu reparieren. Ein neuer Fockmast war aufgeriggt und der Großmast abgesichert worden; doch der Hauptschaden, das Leck unter der Wasserlinie, bestand immer noch. Wahrscheinlich hatte de Rocheville die Küste nach einer passenden Stelle zum Auflegen abgesucht, doch ohne Ortskenntnis war ein solches Unternehmen außerordentlich gefährlich. Kelso konnte sich vorstellen, was für Probleme den französischen Kommandanten in diesen letzten Wochen gequält hatten. Ging er aufs offene Meer, dann konnte er leicht sein Schiff verlieren; blieb er an der Küste kleben, mußte er immer damit rechnen, daß plötzlich Sturm aufkam und das Schiff zerschellte; versuchte er, auf Strand zu laufen, so riskierte er die Strandung auf verborgenen Sandbänken oder Riffen. Doch die *Lyon* segelte noch, und zwar mit Nordkurs. Aber wo?

Wie immer, wenn Kelso einem besonders komplizierten Problem gegenüberstand, wandte er sich an seinen Stellvertreter. Ohne hinzusehen wußte er, daß Fenton irgendwo neben ihm stand. In schwierigen Situationen war er wie ein Schatten. Kelso brauchte nur zu rufen, dann war er da.

»Was denken Sie, wo sie hinwill?« fragte Kelso. »Mit diesem Leck im Rumpf und bei drei, vier Knoten Fahrt?«

»Sie war dicht unter Land, Sir?«

»Zwei Meilen vor der Küste, sagt Evans. Aber eben das verstehe ich nicht.«

»Sir?«

»Sie segelte angeblich Nordnordwest – weg vom Land.«

»Vielleicht hatten sie Angst bekommen und wollten sich nicht blicken lassen?«

»Vor einem Logger würde sie kaum ausreißen.«

»Nein, Sir – es sei denn, de Rocheville fürchtete, daß Evans seine Anwesenheit verraten könnte.«

»Evans hätte er durchaus zum Schweigen bringen können. Eine Breitseite hätte genügt, um den Logger zu versenken.«

»Vielleicht wollte die *Lyon* nicht auf sich aufmerksam machen.«

»Vielleicht. Aber ich verstehe es immer noch nicht. In dieser Notsituation wird es doch für de Rocheville viel zu riskant, wenn jemand erfährt, daß er in diesen Gewässern ist. Er mußte sich sagen, daß der Logger leicht auf ein Company-Schiff stoßen konnte.«

»Er kann sich aber auch gedacht haben, ein Freihändler wie Evans müsse ebenso bemüht sein wie er selber, Company-Schiffen aus dem Weg zu gehen.«

Kelso blickte zur leeren Kimm. Sogar die Küstenlinie war mittlerweile verschwunden; der Logger hatte sich längst in Sicherheit gebracht und war nicht mehr zu sehen. »Ich glaube«, sagte er, »er wußte nicht, daß Evans Freihändler ist. Ihm muß er wie ein kleines Company-Schiff vorgekommen sein.«

»Und deswegen doppelt gefährlich.«

»Eben. Warum hat er ihn laufen lassen? Warum hat er ihn nicht versenkt oder gekapert?«

»Er hat es jedenfalls nicht getan – Sir, halten Sie Evans' Geschichte für wahr?«

»Er könnte gelogen haben. Glauben Sie, er steckt mit den Franzosen unter einer Decke?«

»Möglich wäre es, Sir.«

Kelso runzelte die Stirn. »Ja, möglich ist es. Und dann...« Er brach ab. »Doch das kann ich nicht glauben. Evans ist ein Gauner, aber wie ein Verräter sah er nicht aus. Seine Geschichte hörte sich wahr an. Schließlich ist er freiwillig zu uns an Bord gekommen.«

»Eben das hätte er tun müssen, wenn man ihn veranlaßt hatte, uns in eine Falle zu locken.«

»Eine Falle!« Kelso spielte mit diesem unangenehmen Gedanken und sagte dann nervös: »Nein! Das kann ich nicht glauben. Als ich ihm drohte, sein Fahrzeug zu versenken, bot er mir freiwillig an, auf der *Paragon* anzumustern. Wäre er ein Verräter, dann wäre er lieber auf gut Glück an Land gegangen.«

»Wenn er nicht an Bord eine weitere Teufelei vorhatte.«

Achselzuckend schloß Kelso: »Nun, in ein paar Tagen wissen wir's.«

Doch da sollte er sich irren. Über eine Woche lang segelten sie nordwärts, ohne eine Spur der *Lyon* zu entdecken, und erst als sie nach Ormuz kamen, hörten sie wieder von ihr.

Kelso hatte ursprünglich nicht die Absicht gehabt, die Insel anzulaufen. Seine Order lautete einfach, nordwärts in den Golf zu segeln und mit Karim Khan Sand Verbindung aufzunehmen. Das klang ganz nach Gouverneur Bouchier und Kommodore James. Sie wußten, wie schwierig es für Kelso war, unbekannte Gewässer zu befahren und einen Mann zu suchen und zu finden, der sich als Schah erweisen mochte – oder auch nicht. Klugerweise hatten sie ihm volle Handlungsfreiheit gewährt. Gewiß war die Company in diesen Gewässern nicht gänzlich fremd. Vor mehr als einem Jahrhundert hatte sie mit dem damaligen Schah paktiert, um die Portugiesen von eben dieser Insel Ormuz zu vertreiben. Doch die politischen Verhältnisse in den orientalischen Staaten waren unübersichtlich und änderten sich ständig; Persien, die Brücke zwischen Ost und West, hatte mehrere Kriege und Invasionen erlebt. Captain Evans' Geschichte hatte Kelso davon überzeugt, daß er gut daran täte, sich etwas umzusehen, bevor er sich aufs Festland begab.

Und auf Ormuz hörte er wieder von der *Lyon.*

Der dortige Scheich, der ihn höflich empfing, konnte ihm bei seiner eigentlichen Aufgabe nicht allzuviel helfen. Karim Khan Sand war in der Tat Herrscher in Persien, erzählte er, aber er nannte sich nicht Schah, sondern *vakil,* Treuhänder des Volkes. Es gab immerhin mehrere Gruppen, die danach strebten, ihn zu stürzen. Die Stammesführer, die sich ihm nur widerwillig gebeugt hatten, waren bereit zu kämpfen und rebellierten ständig gegen seine Herrschaft. Trotzdem befand sich Persien in einer Periode relativen Wohlstands. Karim Khan hielt in Schiras Hof und hatte zahlreiche prachtvolle Bauwerke errichtet. Ja, Kapitän Kelso würde bestimmt freundlich empfangen werden, meinte der Scheich. Karim Khan sei ein aufgeklärter Herrscher, neuen Ideen durchaus aufgeschlossen. Es würde nur schwierig sein, zu ihm zu gelangen. Der nächste, in der Tat der einzige Seehafen war Buschir, und dort hatte es kürzlich heftige Kämpfe gegeben. Wenn Karim Khans Streitkräfte den Hafen noch in der Hand hätten, würde Kelsos Aufgabe leicht sein. Andernfalls würde er den gefährlichen Landweg nehmen müssen und könnte nur hoffen, irgendwie zwischen den feindlichen Truppen durchzuschlüpfen. Es würde schon zu machen sein, meinte der Scheich mit, wie Kelso fand, typisch orientalischem Zynismus, sich mit dem jeweiligen Machthaber zu einigen.

Und genau das, dachte Kelso, würde er tun müssen. Die Company und England waren nur an den Handelsrechten interessiert. Wenn Karim Khan als Herrscher nicht viel taugte und mit seinem Sturz zu rechnen war, dann hatte es keinen Sinn, mit ihm Verträge abzuschließen. Lieber abwarten, nötigenfalls Partei ergreifen und mit dem schließlich erfolgreichen Prätendenten Verträge machen.

Erst gegen Ende ihres Gesprächs fragte Kelso nach der *Lyon.* Von der Veranda, wo der Scheich ihn empfangen hatte, sah er die Leute der *Paragon,* die zwischen Schiff und Küste hin- und herruderten, Wasserbehälter und Körbe voller Früchte an Bord brachten. Draußen in der

Bucht manövrierten etwa zwanzig Hochsee-Dhaus, jede mit einer einzelnen Bugkanone bewaffnet. Weiter strandwärts paddelten wohl hundert Kanus geschäftig über das stille Wasser. »Ich bin außerdem auf der Suche nach einem französischen Linienschiff«, sagte Kelso.

»Ein großes Schiff?« Der alte Scheich sah ihn eindringlich an, die Augen wegen der Sonne halb zugekniffen.

»Ein großes Schiff, jawohl, größer als die *Paragon*; ein Linienschiff mit vierundfünfzig Kanonen«, erläuterte Kelso mit einem schwachen Hoffnungsschimmer. »War es hier?«

»Nein, es war nicht hier.«

»Irgendwie habe ich es aus den Augen verloren.« Kelso konnte seine Enttäuschung kaum verbergen. »Vor einer Woche – nein, vor zehn Tagen ist es vor Makran gesichtet worden, auf Nordnordwestkurs. Wir sind diesem Kurs gefolgt, bekamen es aber nicht in Sicht. Und doch muß es in Richtung Ormuz gesegelt sein. Wir müssen es verfehlt haben – nachts wahrscheinlich.«

»Wenn es nicht gesunken ist.«

»Warum das?«

»Nun, wenn es noch die Wunden der Schlacht trug...«

»Davon habe ich nichts gesagt.«

Der Alte schloß die Augen jetzt ganz und nickte mit leise schwankendem Oberkörper in die Sonne. »Was haben Engländer mit der *Lyon* zu schaffen?« fragte er.

Sogar den Namen wußte er!

»Ich will sie versenken«, antwortete Kelso unumwunden.

Der Alte öffnete die Augen. »Sie ist ein großes Schiff.«

»Sie ist ein französisches Schiff und eine Gefahr für mein Land. Deswegen muß ich sie versenken.«

»Aber sie ist havariert. Wollt Ihr sie jetzt zu Tode hetzen?«

»Sie war heil und gesund bei unserem ersten Treffen«, erläuterte Kelso. »Der Schaden, den sie erlitten hat, war gering im Vergleich zu dem, den sie meiner *Paragon* zugefügt hat. Doch davon haben wir uns erholt, und jetzt sind wir hier, um den Kampf zu Ende zu führen.«

Traurig schüttelte der alte Mann den Kopf. »Ich glaube nicht, daß es ein schwerer Kampf sein wird. Die *Lyon* hat die Meerenge erst vor zwei Tagen passiert. Eine meiner Dhaus rief sie an. Der Schiffsführer bot ihr an, sie in den Hafen zu schleppen, aber der Kommandant wollte unbedingt weiter. Sie war erheblich leck und lag tief im Wasser.«

»Wohin weiter?«

»Nach Buschir«, antwortete der Alte. »Wie Ihr hat er wichtige Geschäfte in Persien.«

13

Zwei Tage segelten sie vor frischem Wind, ohne jedoch den Feind zu Gesicht zu bekommen. Rings lag die See in metallisch glitzerndem, blendendem Glanz. Manchmal standen ein paar Lateinersegel an der Kimm, und gelegentlich, dicht unter der Küste, ein Fischerboot. An Steuerbord voraus hoben sich die blauen Berge Persiens wie ferne Wolken vom Himmel ab.

»Die *Lyon* liegt also vor uns, Sir«, sagte Fenton, »und hat Kurs auf Buschir. Könnte de Rocheville mit ähnlicher Mission segeln wie wir?«

»Wenn ja«, erwiderte Kelso, »kommt er uns wahrscheinlich zuvor.«

»Nur, daß wir ein heiles Schiff haben, und er – nun, er wird sich mächtig anstrengen müssen, wenn es zum Kampf kommt.«

Kelso starrte voraus, die Brauen wegen der prallen Sonne zusammengezogen, während sich sein Hirn aufs neue mit der mysteriösen Reise der *Lyon* beschäftigte. Warum, in aller Welt, fuhr sie nordwärts? Warum hatte sie nur provisorische Reparaturen vorgenommen, während ein kurzer Aufenthalt, zum Beispiel in Ormuz, genügt hätte, um sie wieder seetüchtig zu machen? Und warum hatte sie den Logger nicht versenkt?

»Ist es nicht möglich, Sir, daß sie schon nach Persien wollte, als wir das erste Mal auf sie stießen, vor fünf oder sechs Wochen?«

»Möglich ist es schon.«

»Das würde erklären, warum sie damals – nun ja – anscheinend so widerwillig unsere Herausforderung angenommen hat. Sie werden sich erinnern, Sir, daß sie nicht frontal auf uns zukam. Das fand ich damals schon seltsam. Ich meine, sie ist doch ein großes Schiff und schwer bewaffnet. De Rocheville hätte eigentlich kaum zögern dürfen, eine Fregatte und eine Schaluppe anzugreifen.«

Kelso nickte. Er hatte das unangenehme Gefühl, daß Fenton recht hatte. Man war im Krieg. Wenn die *Lyon* nach Persien bestimmt war, dann hatte sie es eilig und würde sich nicht mit der *Paragon* und der *Malabar* auf ein Gefecht einlassen wollen, falls sie es vermeiden konnte. Und dann, als sie angeschlagen war, hatte sie lieber die Aktion abgebrochen, als weitere Schäden zu riskieren. Stimmte es, daß dieses

Verhalten auf einen wichtigen Auftrag in Persien deutete – so wichtig, daß de Rocheville die Chance ausgeschlagen hatte, einen Logger zu kapern, die paar Tage Verzögerung nicht drangeben wollte, in denen er sein Schiff wieder hätte seetüchtig machen können?

»Es gibt irgendetwas«, sagte Kelso, »das de Rochevilles Anwesenheit erfordert. Anscheinend riskiert er alles, nur damit er ohne Verzögerung ans Ziel gelangt.«

»So kam es auch mir vor, Sir. Doch was könnte so wichtig sein?«

»Weiß ich nicht. Eine Allianz mit Persien vielleicht.«

Neugierig blickte Fenton seinen Kapitän an. Obwohl er ein so guter Erster Offizier war, hatte er niemals den Ehrgeiz gehabt, über seinen gegenwärtigen Rang hinauszugelangen. Er war Seemann und beneidete Kelso nicht darum, daß er sich mit Politik befassen mußte.

Kelso fuhr fort: »Nach dem, was wir in Ormuz gehört haben, hat es während der letzten Woche in Buschir Kämpfe gegeben.«

»Könnte das mit de Rocheville zu tun haben, Sir?«

»Vielleicht. Wenn die Franzosen ein Bündnis mit Persien wünschen, ein aktiveres, als Karim Khan ihnen gewähren will, dann könnten sie diese Unruhen angestiftet haben.«

»Mit dem Versprechen, daß ein französisches Linienschiff den Rebellen zu Hilfe kommt?«

»Genau. Die Kämpfe fanden an der Küste und im Hafen von Buschir statt; also könnten die Rebellen von Anfang an mit wirksamer Unterstützung von See her gerechnet haben.«

Ein Lächeln entspannte Fentons hageres Gesicht. »Demnach hätten wir mit unserem Angriff auf die *Lyon* noch mehr Schaden angerichtet, als es zunächst den Anschein hatte?«

»Wir haben sie aufgehalten. Ob wir sie lange genug aufgehalten haben, muß sich erst herausstellen.«

»Sir?«

»Die Kämpfe in Buschir müssen ohne die *Lyon* begonnen haben. Unseren Informationen nach mögen sie noch andauern. Wenn de Rocheville bald dort ist, kann er selbst mit seinem beschädigten Schiff noch entscheidend eingreifen.«

»Oder wir können ihn aufhalten.«

Kelso nickte. »Ja. Oder wir können ihn aufhalten.«

Sie segelten den ganzen Tag und die Nacht hindurch, und als das Morgenrot des dritten Tages über der leeren See aufstieg, begann Kelso sich zu fragen, ob de Rocheville sein Vabanque-Spiel verloren hätte. Bei drei Knoten Fahrt würde es erstklassige Seemannschaft und eine nicht geringe Portion Glück erfordern, ein leckes Schiff so weit zu segeln. War die *Lyon* schließlich doch noch gesunken? Irgendwie konnte er das nicht glauben. Kommodore James hatte ausdrücklich gesagt, de Rocheville sei der fähigste unter den französischen Kommandanten. Hatte er sein Schiff so weit gebracht, würde er es bestimmt nicht aufgeben, wenn es schon fast in Sichtweite des Ziels war.

Denn nach Kelsos Berechnung hatten sie nur noch drei Stunden bis Buschir zu segeln. Schon war die See deutlich befahrener. Alle paar Minuten, so kam es ihm wenigstens vor, tönte der schrille Ruf des Midshipman aus dem Vortopp: »Segel! Segel voraus, Sir!«

Doch es waren immer nur Eingeborenenfahrzeuge. Einmal sichteten sie ein rahgetakeltes Schiff, doch bei näherem Hinsehen erwies es sich nicht als Feind, sondern als ottomanisches Handelsschiff.

Kelso lehnte sich gegen das Schanzkleid und fragte sich zum hundertsten Male, was mit der *Lyon* geschehen war. An dem raschen Strömen des Wassers, den knatternden Segeln und knarrenden Planken hörte er, daß sie schnelle Fahrt machten. Wenn die *Lyon* noch flott war, hätten sie sie inzwischen eingeholt haben müssen. Wenigstens würde er sich in Bälde nicht mehr den Kopf zu zermartern brauchen. Noch vor Dunkelheit würden sie in Buschir sein. Er rief den Niedergang hinunter: »Padstow!«

»Sir?« Der Steward steckte den Kopf durchs Luk und kletterte flink aufs Achterdeck.

»Leg mir mein Rasierzeug und die Ausgehgarnitur zurecht!«

»Aye, aye, Sir.« Padstow tippte grüßend an seine Stirnlocke und verschwand schnell unter Deck; er war zu gut geschult, um sich sein Erstaunen anmerken zu lassen. Wenn sich der Kapitän am hellen Nachmittag eines so mörderisch heißen Tages rasieren und seine beste Uniform anlegen wollte, dann war das seine Angelegenheit.

»Und – Padstow!«

»Sir?«

»Leg auch die Pistolen und den Säbel heraus!«

Kelso wandte sich wieder voraus, der See zu, der verwirrenden Leere des Horizonts. Bald würden sie in Buschir sein, und dort würden neue Probleme auftauchen. Schlimm war nur, daß er so viel wußte – und doch zu wenig. Wer würde in Buschir an der Macht sein? Würden Karim Khans Truppen gesiegt haben? Würden...

»An Deck! Segel direkt voraus!«

Ohne großes Interesse blickte Kelso auf. Solche Rufe hatte er schon viele gehört. Er beschattete die Augen mit der Hand und rief hinauf: »Welches Schiff?«

»Nicht genau zu sagen, Sir. Rumpf ist noch unter der Kimm. Aber diese Oberbramsegel kommen mir bekannt vor.«

Diesmal konnte Kelso seine Neugier nicht verbergen. Er war die Kampanjeleiter hinuntergerannt, das Deck entlang und in den Fockwanten, bevor Adams, der die Wache führte, überhaupt begriffen hatte, was geschah. Hand über Hand enterte Kelso eiligst auf und stand nach kurzer Zeit atemlos neben Midshipman Tilney im Vortopp. Er riß ihm das Glas aus der Hand und führte es sorgfältig über die Kimm.

Er sah die *Lyon* sofort. Ihr Rumpf war immer noch unter der Kimm, doch er erkannte den Schnitt der Marssegel und die vertrauten Umrisse der Bramsegel. Das war die *Lyon*. Sie lief vorm Wind auf einem Kurs, der sie, wie Kelso annahm, geradewegs nach Buschir bringen würde. Ihrer Position nach mußte sie sich bereits der Bucht nähern.

»Mr. Fenton!« brüllte er hinunter und war nicht überrascht, als er sah, daß Fenton, der Freiwache gehabt hatte, bereits an Deck stand.

»Sir?«

»Alle Mann auf Gefechtsstation! Klar Schiff zum Gefecht! Wir haben den Franzosen endlich eingeholt!«

Ein mächtiges Hurrageschrei erhob sich an Deck, und bereits beim Abentern sah Kelso das geschäftige Treiben. Wasserschläuche wurden angeschlagen, die Planken mit Sand bestreut und benäßt, die Stückpforten geöffnet und die Geschütze ausgefahren; die Pulverjungen kamen kreischend vor Aufregung mit Kartuschen und Munition aus der Pulverkammer an Deck gelaufen; an jeder Schanzpforte waren rotberockte Seesoldaten postiert.

»Wo liegt sie, Sir?« fragte Leutnant Adams, der noch zu jung und unerfahren war, um seine Nervosität zu verbergen.

»An Steuerbord voraus«, antwortete Kelso. »Aber sie geht jetzt über Stag und wird bald direkt voraus sein. Gleich können Sie sie von Deck aus sehen.«

Das traf zu. Die winzigen weißen Flecke der Bramsegel waren bereits vor dem klaren Blau der Kimm auszumachen. Doch langsam kamen jetzt auch die Bram- und dann die Untersegel dazu. Die *Paragon* holte rasch auf. Eben noch war das ferne Schiff mit dem Rumpf unter Kimm, und auf einmal – es schien, als seien nur Minuten vergangen – stand es voll darüber.

»Sie tut sich ganz schön schwer«, bemerkte Fenton befriedigt. Kelso antwortete nicht. Um seine Nervosität zu zügeln, hatte er die Hände hinter dem Rücken verkrampft und starrte mit vorgerecktem Unterkiefer zum Horizont. Es war ihm klar (was bei Fenton offenbar nicht der Fall war), daß die *Lyon* immer noch entweichen konnte. Aus ihrer Kursänderung war ersichtlich, daß sie nach Buschir wollte. Die *Paragon* konnte sie zu fassen bekommen, ganz schnell sogar, doch viel Sinn hatte das nicht, denn sie würde bald im Schutz eines neutralen Hafens sein. Aus der Karte sah er, daß Buschir am südlichen Arm einer großen, von Land fast ganz umschlossenen Bucht lag. Dort würde dichter Schiffsverkehr herrschen, mehr als in Ormuz, und die Stadt selber hätte bei einem laufenden Gefecht sicherlich Schaden genommen. Er konnte seine Mission nicht gut mit einer Schießerei vor Persiens Türschwelle beginnen.

Kelso sah zu den vollstehenden Segeln auf und hörte den Bug durchs Wasser rauschen: die *Paragon* machte gute Fahrt. Jeder Streifen Tuch, von den Bramsegeln bis zur Blinde, war gesetzt, und die Fregatte bebte in ihren Nähten. Alle paar Sekunden, wenn sie die Nase in die Seen steckte, flog eine Wand von Gischt fast bis zum Achterdeck. Unter der glühenden Sonne waren die Decksplanken eben noch so heiß gewesen, daß es selbst die verhornten Fußsohlen der Matrosen schmerzte; jetzt machte die frische Brise sie erträglich.

Kelso schätzte die Distanz zwischen den beiden Schiffen auf knapp zehn Meilen, also zweieinhalb Stunden Fahrt. Würde die *Lyon* so lange im Schußfeld bleiben?

»Sie ändert Kurs, Sir«, rief Adams. »Sieht aus, als ob sie die Küste erreichen will.«

Das sah Kelso auch selbst: Die drei Masten waren jetzt auszumachen und im Teleskop sogar die Reihe der Stückpforten. Es schien ihm, als ob ihre schwersten Geschütze, die Vierundzwanzigpfünder auf dem unteren Deck, noch dichter über der Wasserlinie lägen, als er in Erinnerung hatte. Wenn die *Lyon* ins Rollen kam, konnten diese Geschütze, de Rochevilles wichtigste Artillerie, leicht ausfallen.

Und die *Paragon* war immer noch acht oder neun Meilen entfernt! Mit stoischer Ruhe wartete Kelso, ohne ein Wort zu sprechen, außer wenn er dem Steuermann einen neuen Kurs angab, ohne die erregten Gespräche, die Spekulationen unten auf dem Hauptdeck auch nur zu hören. Für die Mannschaft bedeutete es das Ende einer langen, entmutigenden Jagd. Die Leute zweifelten nicht daran, daß sie den Feind vor Einbruch der Dunkelheit stellen und vernichten würden.

»Noch zwei Strich Steuerbord!« befahl Kelso.

»Zwei Strich Steuerbord, Sir.«

Eine endlose Stunde verstrich, und jetzt war die *Lyon* auch von Deck aus klar auszumachen – sie lag nur drei Meilen rechts voraus. Bald würde die *Paragon* einige Schüsse mit ihren langen Neunpfündern probieren können, müßte aber vorher ein paar Treffer aus den Heckkanonen des Franzosen abbekommen. Aber darum sorgte sich Kelso nicht. Es machte ihm nicht einmal etwas aus, daß der Franzose trotz seiner derzeitigen schweren Beschädigung der *Paragon* artilleristisch weit überlegen war. Er wollte weiter nichts als die Chance zu kämpfen.

»Sie hält auf das Land zu, Sir«, sagte Adams. »Da ist eine Lücke in der Küstenlinie. Sieht aus wie eine Landzunge – dort wird wohl der Eingang zur Bucht sein.«

Kelso blickte durch das Teleskop und versuchte, die Entfernung abzuschätzen, die sie noch zurücklegen mußte, bis sie in Sicherheit war.

»Sie hat Feuer eröffnet, Sir«, rief jemand, und Kelso konnte gerade noch ein Rauchwölkchen über ihrem Achterdeck hängen sehen.

»Lange Achtzehner«, sagte Craig, der Batterieoffizier. »Bin neugierig, wie genau die Dinger schießen.«

Spottrufe wurden vom Hauptdeck laut: Eine halbe Meile voraus spritzte das Wasser hoch.

»Das wird schon besser werden«, bemerkte Craig. »Die Richtung stimmt, und wenn sie erst ihre Schußweite hat...«

Wie bei einer Artillerieübung bestätigte der nächste Schuß seine Voraussage. Er lag genau in ihrer Richtung und nur noch eine Kabellänge voraus.

»Der nächste Schuß liegt im Ziel«, sagte Craig; und fast im selben Augenblick schlug eine Kugel in die Back. Mit unwillkürlicher professioneller Anerkennung klatschte Craig applaudierend in die Hände und rief: »Gar nicht so verdammt schlecht! Sehr ordentlich sogar!«

»Mr. Craig!« rief Kelso mit deutlicher Mißbilligung.

»Sir?«

»Wollen sie gefälligst unsere Lange Neun einsetzen!«

»Aye, aye, Sir.« Voller Zweifel maß Craig die Distanz. »Bloß, Sir – das ist unsere äußerste Reichweite, und sie bietet uns nur das Heck...« Er sah, was Kelso für ein Gesicht machte, brach ab und eilte zum Vorschiff.

Er hätte Kelso nicht erst zu sagen brauchen, daß der praktische Effekt eines Schusses gleich Null sein mußte. In der nächsten halben

Stunde wurde die *Paragon* unter den Heckgeschützen der *Lyon* Spießruten laufen müssen. Man unterschied jeden Schuß, vom Pulverqualm des Abfeuerns hin zum heulenden Einschlag der Kugel. Nichts zerrte so an den Nerven, als wenn man stur ins Feuer rennen mußte, ohne mit gleicher Münze zurückzahlen zu können. Doch selbst wenn die Lange Neun der *Paragon* nichts weiter bewirkte als die Gemüter der Männer zu erleichtern, war diese Verschwendung von Pulver und Munition vertretbar.

Die *Paragon* stampfte vorwärts, feuerte dabei und nahm auch ein paar Treffer hin. Eine der Kanonen auf dem Hauptdeck war getroffen worden, und drei Tote lagen bereits am Großmast. Langsam schob sich die *Lyon* immer näher an den schützenden Hafen heran.

Sie lag jetzt fast auf gleicher Höhe mit der Landzunge, und daneben konnte Kelso ein einzelnes Lateinersegel ausmachen: eine große seegehende Dhau, die zwischen die Kämpfenden geraten war. Kelso betete um ein paar Minuten Atempause.

»Mr. Craig!« rief er zum Hauptdeck hinunter.

»Sir?«

»Haben wir jetzt Schußweite?«

»Schußweite schon, Sir, aber mit den Neunern können wir nicht viel ausrichten.«

»Ich meine die Deckgeschütze. Können Sie schon mit denen feuern?«

Zweifelnd spähte Craig zur *Lyon* hinüber. »Ich kann's ja mal probieren.«

»Machen Sie die Backbordbatterie feuerbereit und feuern Sie nach Ihrem Ermessen. Steuermann!« rief er. »Ruder Backbord!«

Die *Paragon* schwang herum, bis sie direkten Kurs auf die Küste hatte.

»Mr. Fenton!«

»Sir?«

»Bitte stellen Sie das Großbramsegel back!«

Die *Paragon* lag jetzt gut auf ihrem neuen Kurs, zur gleichen Zeit, als die *Lyon* zur Spitze der Landzunge aufkam. Für de Rocheville schien das Manöver der Fregatte überraschend zu kommen, oder vielleicht lag sein Schiff schon so tief, daß er nicht riskieren konnte, eine Breitseite zu feuern. Die Geschütze der *Paragon* donnerten los, und alsbald zeigten sich die Erfolge monatelangen harten Exerzierens und der Gefechtserfahrung: Sichtbar schwankte die *Lyon* unter den einschlagenden Geschossen.

»Gut«, brüllte Kelso, »noch so ein paar, dann haben wir sie!«

Wieder donnerten die Kanonen, und wie zerrissen schäumte die See um das französische Schiff auf.

»Weiter so, Mr. Craig. Feuer frei!«

Der vor Energie und Erregung schwitzende Craig war in seinem Element. Flink lief er von Geschütz zu Geschütz und behielt so die Übersicht über die ganze Batterie.

»Ausputzen – laden!« brüllte er und: »Verschluß spannen! Ziel auffassen! Feuer!«, sobald die Geschützführer ihr Handzeichen gegeben hatten.

Unter ohrenbetäubendem Krachen fuhr die nächste Breitseite heraus. Die *Paragon* krängte unter dem Rückstoß, richtete sich wieder auf, und als sich der beißende Qualm verzogen hatte, sah man, wie die einschlagenden Geschosse die *Lyon* beharkt hatten. Die Besanmarsrah war getroffen, unförmig hing die Masse des Tuches über dem Besangroßsegel. Die *Lyon* holte so stark über, daß es sekundenlang aussah, als würde sie kentern.

»Sie ist fertig!« schrie Adams, in höchster Erregung auf den Decksplanken herumtanzend. »Sie säuft ab!«

Doch Kelso wußte es besser. Durch sein Teleskop sah er die französischen Matrosen in den Besanwanten aufentern, um die baumelnde Rah zu kappen. Er konnte sogar sehen, wie der Rudergänger mit dem Rad kämpfte. Die *Lyon* kam klar und legte sich schwerfällig wieder auf ebenen Kiel. Sie war jetzt fast in Höhe der Landzunge.

»Feuer frei, Mr. Craig!« brüllte Kelso.

»Aye, aye, Sir.«

»Und daß mir jeder Schuß sitzt!«

Doch er bedauerte diesen letzten Befehl sofort. Craig war ein zu guter Artillerist, um nicht zu wissen, daß die Zeit knapp wurde.

Ohnehin war das jedem klar. Nur noch ein fadendünner Streifen Wasser lag zwischen der Landzunge und dem Bug der *Lyon*. Noch zwei, drei Minuten, dann kam sie außer Schußweite – es blieb gerade noch Zeit für eine Breitseite.

»Verschlüsse spannen!« brüllte Craig. »Ziel auffassen!« Er rannte von Geschütz zu Geschütz, hockte sich hinter jeden Richtschützen, um die Richtung zu kontrollieren. Anscheinend befriedigt, wartete er, bis die *Paragon* wieder gerade lag – es schien eine volle Minute zu dauern –, und brüllte dann: »Feuer!«

So erstklassig waren die Kanoniere gedrillt, daß der Donner wie aus einem einzigen Rohr klang. Die *Paragon* holte nach Steuerbord über und schwang wieder zurück. Alle Mann an Deck starrten gespannt hinüber, um die Einschläge zu beobachten.

Sprühende Fontänen spritzten drüben auf. »Zu kurz!« schrie jemand. Und dann zwanzig Stimmen auf einmal: »Treffer!« Denn man sah die *Lyon* deutlich überholen.

Doch wieder richtete sie sich auf.

»Die sinkt ums Verrecken nicht!« schimpfte Fenton und packte das Schanzkleid.

Nur Kelso schien unbeeindruckt. »Einzelfeuer nach Ermessen, Mr. Craig!« rief er hinunter.

Fluchend und schreiend trieben die Geschützführer die Bedienungen an, Kartuschen und Kugeln wurden von geübten Händen in die Läufe gestopft, jedes Geschütz wollte als erstes feuerbereit sein und beweisen, daß es schneller und genauer schießen konnte als die anderen. Das Ergebnis war eine stotternde Salve, die der *Lyon* wenig schadete und die *Paragon* um einen oder zwei Zentner Eisen erleichterte. Weiter kam nichts dabei heraus.

»Feuer einstellen!« befahl Craig, als die *Lyon* die Landzunge rundete und außer Sicht geriet.

Fenton schmetterte die Faust aufs Schanzkleid. »Verdammt! Und wir hätten sie beinahe gehabt!«

»Können wir nicht hinterher, Sir?« fragte Adams. »Ich meine, wenn sie auch nicht am Sinken ist, so geht's ihr doch verflucht dreckig. Können wir ihr nicht nachsetzen und sie fertigmachen?«

Kelso zügelte seine Erregung und schwieg. Fenton antwortete statt seiner: »Hinter dieser Landzunge liegt Buschir, der Hafen, der unser Ziel ist. Sie erwarten doch nicht, daß wir dort mit feuernden Geschützen einlaufen?«

»Ich weiß nicht«, entgegnete Adams. »Es wäre doch schade, wenn wir sie laufen ließen.«

Kelso drehte sich um und befahl: »Ruder Steuerbord!«

»Steuerbord liegt an, Sir«, bestätigte der Rudergänger.

Die *Paragon* kam vor dem Wind rund und nahm ebenfalls Kurs auf die Landzunge. Nach einer halben Stunde hatte sie den Punkt erreicht, wo die *Lyon* verschwunden war. Hier, am Eingang der Bucht, war ruhiges Wasser, und nichts erinnerte mehr an das stattgefundene Gefecht, nur ein Gewirr von Tauwerk und treibender Leinwand und der Leichnam eines französischen Matrosen.

Sie fuhren in die Bucht ein und sahen die weißen Häuser, die sich am Hang zusammendrängten – die Hafenstadt Buschir. Eine knappe

Meile an Steuerbord wälzte sich die *Lyon* schwerfällig landeinwärts. Schon befand sie sich mitten unter kleinen Fahrzeugen, so daß sie nicht mehr beschossen werden konnte. Immer weiter hinkte sie auf einem Kurs, der von den Kais und der Hafenzufahrt weg und auf einen Streifen gelben Sandes zuführte.

»Er will sie auf Strand setzen«, sagte Fenton. »Wenn er es bis dorthin schafft.«

»Nachdem er sie so weit gebracht hat, wird er es schon schaffen«, erwiderte Kelso mit widerwilliger Bewunderung.

Enttäuscht schüttelte Fenton den Kopf. »Und was machen wir jetzt, Sir?«

»Wir laufen in den Hafen ein oder ankern mindestens auf Reede.«

»Sie wollen eine Landeabteilung ausschicken?«

»Ich gehe selbst an Land.«

»Aber Sir«, fragte Fenton, »halten Sie das für klug? Wenn der Hafen in feindlicher Hand ist –«

Sie wurden durch einen lauten Ruf aus dem Masttopp unterbrochen: »An Deck! Boot kommt auf uns zu!«

14

Wie eine Königsbarke glitt das Boot durch das Gewimmel der kleinen Eingeborenenfahrzeuge auf die *Paragon* zu, auffallend elegant gebaut, ganz anders als die Frachtsegler und die plumpen Fischer-Dhaus. Eine Flagge wehte im Mast, die unter dem islamischen Halbmond ein Krummschwert und eine Krone aufwies. Weiß blinkte das große Lateinersegel vor dem reinen Blau der See. Im Bug stand ein riesiger Nubier reglos wie eine Bronzestatue, ein prachtvoller Anblick im Sonnenlicht.

»Offizieller Besuch, Sir«, bemerkte Fenton, der neben Kelso am Schanzkleid stand.

»Ja.«

»Möchte bloß wissen, warum er zu uns kommt und nicht zur *Lyon*.«

»Tja – könnte sein, daß man *sie* erwartet hat.«

Fenton warf einen verwunderten Seitenblick auf seinen Kapitän, sagte aber nichts. »In ein paar Minuten«, fuhr Kelso fort, »wissen wir Bescheid.«

Elegant kam das Boot längsseits und machte fest. Der große Nubier, der einen Säbel im Gürtel trug, erklomm die Strickleiter und blieb wartend stehen. Hauptmann Lillywhite, der schnurrbärtige Befehlshaber der Marine-Infanterie, fixierte ihn angriffslustig. »Nun?«

»Du Captain?«

»Bin ich nicht.«

»Ich Captain sehen.«

»Ob du den Captain siehst, das bestimme ich. Was willst du von ihm?«

»Ich Captain sehen.«

Kelso kam die Kampanjeleiter vom Achterdeck hinunter. »Komme schon«, sagte er und wandte sich an den Nubier: »Also, was willst du?«

»Du Captain von diese Schiff?«

»Ich bin Kapitän Kelso.«

»Meine Herrin will sprechen mit dir.«

»Deine Herrin?«

»Prinzessin Amaril.«

Kelsos rauhe Züge verrieten nicht, wie überrascht er war. Auf der langen Reise von Bombay hatte er verschiedene Möglichkeiten erwogen, doch nicht etwas so Unerwartetes. Eine Prinzessin namens Amaril! Doch seine Überraschung war nicht so groß, daß er seine angeborene Vorsicht vergessen hätte.

»Sehr schön«, sagte er. »Es wird mir ein Vergnügen sein, deine Herrin zu empfangen.«

Der riesige Nubier machte eine Kopfbewegung zur Leiter hin. »Du kommen mit.«

»Nein.« Kelso hatte die dunkelhäutigen Bootsleute bereits studiert – jedem stak ein mörderisch aussehender Dolch im Gürtel. Er hatte auch den verhängten Palankin gesehen, in dem eine Prinzessin sitzen mochte – oder auch ein bewaffneter Mörder. »Ich werde die Prinzessin auf meinem Schiff willkommen heißen.«

Mit fast lächerlich wirkender Ungläubigkeit glotzte der Nubier ihn an. »Prinzessin herkommen?«

»Wenn sie mit mir reden will – allerdings.«

»Aber Captain! Ist *Prinzessin*!«

»Sie wird an Bord der *Paragon* gebührend empfangen werden.«

Der Nubier rührte sich nicht. Er starrte Kelso immer noch an, als müsse dieser doch endlich begreifen, wie ungeheuerlich seine Zumutung sei. Dann, nach einem letzten Blick in Kelsos entschlossene wachsame Miene, wandte er sich voller Wut zum Fallreep.

»Bin neugierig, was jetzt kommt, Sir«, bemerkte Lillywhite. Er war ein großer, jähzorniger Mann aus Cornwall, mit einer angeborenen

Abneigung gegen Farbige, und es war ihm anzusehen, daß er Kelsos Verhalten durchaus guthieß.

»Sieht aus«, sagte Kelso, »als gingen sie auf unsere Forderung ein.«

Vom Fallreep blickte er zu der Dhau hinunter, wo der Nubier durch die geschlossenen Vorhänge des Palankin auf jemanden einredete. Er sprach mit lebhaften Handbewegungen, überredend, beschwörend, und schwieg dann plötzlich wie auf Befehl, zog seinen Säbel aus dem Gürtel und starrte wütend nach oben. Die Vorhänge glitten zurück.

Der erste Anblick der Prinzessin Amaril blieb Kelso unvergeßlich. Sie trat in die helle Sonne hinaus und blickte, den Schleier vors Gesicht haltend, hinauf zur *Paragon* und dem Mann, der nicht so wollte wie sie. Offensichtlich sah sie sofort, daß Kelso der Betreffende war, dieser Mann, der da vom Fallreep auf sie hinunterblickte. Aus seinem harten Seemannsgesicht ließ sich nicht ablesen, ob er von ihrer Schönheit beeindruckt war. Aber sie war schön. Ihr schlanker Leib unter der reichbestickten Robe war von wahrhaft königlichem Ebenmaß. Von ihrem Gesicht konnte man nur die Stirn und den sanften schwarzen Bogen des Haaransatzes sehen – und ihre Augen. Die trafen Kelsos Augen und hielten sie fest – stumm, wortlos forderte sie ihn heraus, reizte sie ihn.

Dann bedeutete sie dem Nubier durch eine kurze ungeduldige Handbewegung, beiseitezutreten, und schickte sich an, das Fallreep hinaufzuklettern.

Zweifellos war die ganze Bootsbesatzung ihr zutiefst ergeben – oder hatte Angst vor ihr. Zwei Mann stützten das Boot ab, damit es nicht schwankte; ein dritter hielt die Strickleiter fest. Der nubische Sklave beobachtete die Prinzessin so ängstlich wie eine Henne das Entenküken, das ins Wasser geht. Kaum hatte sie den Fuß auf die Sprosse gesetzt, da war er auch schon mit gezogenem Säbel hinter ihr, bereit, sie vor unbekannten Gefahren zu schützen.

Oben an Bord sah Kelso mit ausdruckslosem Gesicht zu. Sie stieg langsam an der Bordwand hoch, und als sie die Schanzkleidpforte erreicht hatte, beugte er sich vor und faßte ihren Arm.

Nun stand sie an Deck, und sie sahen einander ins Gesicht, der Fregattenkapitän und die Prinzessin. Kelso brachte eine ungeschickte Verbeugung zustande. »Zu Ihren Diensten, Ma'am.«

In seltsam geziert klingendem Englisch fragte sie: »Sind Sie der Kapitän dieses Bootes?«

»Das ist ein Schiff, Ma'am – die Fregatte *Paragon* von der Marine der Ehrenwerten Ostindischen Handelsgesellschaft.«

»Ich fragte, ob Sie der Kapitän sind?«

Gelassen blickte er sie an. »Ich bin Kapitän Kelso.«

»Ibrahim hat meine Botschaft überbracht?« Mit einer ganz leichten Kopfbewegung wies sie auf den Sklaven, und in diesem Augenblick hob sich ihr Schleier gerade genug, um die Weiße ihrer Wangen und die stolze Linie ihrer Nase zu enthüllen.

»Er hat sie überbracht – jawohl.«

»Warum sind Sie dann nicht gekommen?«

»Ich zog es vor, Sie auf meinem Schiff zu empfangen«, entgegnete er.

»So? Nachdem ich Ihnen befohlen hatte, zu mir zu kommen?«

»Befohlen? Ich habe das nicht als Befehl aufgefaßt, Ma'am. Und hätte ich es getan, hätte ich ihm wohl nicht gehorcht. Wir von der Marine mögen Befehle nicht sehr – nicht von Fremden.«

Er sah ihre Augen vor Zorn funkeln und spürte die stumme Bedrohlichkeit des Nubiers an ihrer Seite. Der Kerl wog den Degen in der Hand, bereit zu Angriff oder Verteidigung. Doch sie beschwichtigte ihn mit einer Geste. »Kapitän«, sagte sie, »Sie sind entweder sehr tapfer oder sehr unklug. Wissen Sie, daß ich Sie töten lassen könnte, weil Sie mich beleidigt haben?«

»Mir ist nicht bewußt, daß ich Sie beleidigt hätte, Ma'am. Wenn ja, dann muß ich mich entschuldigen. Indessen würde ich Ihnen nicht raten, mir zu drohen.«

»*Mir* nicht raten!« wiederholte sie zornig. »Wissen Sie, wer ich bin?«

»Sie sind Prinzessin Amaril. Doch der Name sagt mir nichts.«

Wieder mußte sie ihren riesigen Leibwächter mit einer leichten Berührung beschwichtigen. »Ich bin Prinzessin Amaril«, sagte sie. »Und mein Vater ist Karim Khan Sand, der *vakil* von Persien.«

Kelso neigte den Kopf und sagte ebenso hochmütig wie sie: »So seien Sie willkommen an Bord meines Schiffes.«

»Danke«, erwiderte sie mit einem kalten Blick.

»Darf ich Sie in die Messe bitten?«

»Die – Messe?«

»Der Offiziersraum unter Deck.«

»Ich will mit Ihnen unter vier Augen sprechen.«

»Nun«, antwortete er, »einen anderen Raum – einen Raum, der für eine Prinzessin geeignet wäre – gibt es nicht.«

»Sie haben keinen Raum für sich selbst?«

»Meine Kajüte, ja – doch die ist klein und ...«

»Sie genügt«, schnitt sie seinen Protest ab.

Verdutzt starrte Kelso sie an, doch da ihr gebieterischer Blick nicht von ihm ließ, sagte er achselzuckend: »Gewiß – wenn Sie mir bitte folgen wollen.«

Als er die Tür öffnete, überraschte er Padstow, der gerade seine zweitbeste Garnitur ausbürstete. »Entschuldigung, Sir. Ich dachte, ich könnte –« Er brach ab und riß beim Anblick der Prinzessin Mund und Augen auf. »Entschuldigung, Sir.«

»Schon gut, Padstow.« In allen den Jahren, seit Padstow bei Seegefechten, in Kämpfen Mann gegen Mann oder bei gefährlichen Unternehmen an Land an seiner Seite gewesen war, hatte Kelso nie erlebt, daß der Steward seinen Gleichmut verlor. Doch jetzt wußte er nicht, was er tun sollte, stolperte rückwärts gegen das Kajütenschott, tappte salutierend an seine Stirn und murmelte nur: »Aye, aye, Sir.« Noch verdutzter war er, als er schließlich hinausstolperte und draußen auf den riesigen Ibrahim stieß.

Kelso warf einen raschen Rundblick durch die winzige Kajüte und war froh, daß sie wenigstens sauber und aufgeräumt schien. Sie war weder groß noch bequem genug, um eine Dame darin zu bewirten, geschweige denn eine Prinzessin. Doch wenigstens konnte man hier miteinander reden, ohne daß jemand zuhörte. Ein einziger Stuhl, seine Koje, ein kleiner Tisch und seine Seekiste ließen wenig Raum zum Umhergehen. Kelso trat zur Seite und beobachtete die Prinzessin beim Eintreten. Neugierig sah sie sich um, ohne ihren Schleier zu lüften, und setzte sich dann in seinen Stuhl. Der große Nubier wollte ihr folgen.

»Hier ist kaum Platz für uns beide«, sagte Kelso. »Wenn wir reden wollen, muß er draußen warten.«

»Nein!« Wütend starrte Ibrahim aus seiner Höhe auf Kelso hinunter und hielt ihm den Säbel vors Gesicht.

»Genug!« befahl die Prinzessin. »Du wartest draußen, Ibrahim!«

»Prinzessin!«

»Hinaus!« Sie schlug auf die Stuhllehne.

Nachdem der Nubier zögernd dem Befehl gefolgt war, schloß Kelso die Tür, lehnte sich dagegen und musterte seine unerwartete Besucherin mit unverhohlener Neugier. Auch sie starrte ihn sekundenlang an und ließ dann mit betont herausfordernder Bewegung den Schleier sinken.

Kelso hatte schon manches Liebesabenteuer bestanden, doch nie hatte er seinen Puls so stark gespürt wie beim Anblick der kühlen Schönheit von Prinzessin Amaril; das ovale Gesicht mit dem zarten und doch festen Kinn war von seltener Reinheit, die vollen Lippen waren halb schmollend, halb einladend geschürzt. Ganz bestimmt war sie sich ihrer Schönheit bewußt, die sie ihm trotzig zeigte, um ihm wie zum Spott das Unerreichbare verlockend vor Augen zu führen – vielleicht zur Strafe für seine allzu selbstbewußte Haltung.

»Nun können wir frei sprechen«, begann sie, »und zuerst sagen Sie mir wohl am besten, warum Sie hier sind.«

Er zog die Brauen zusammen, um sich gegen den Eindruck zu wappnen, den sie auf ihn machte. »Ich bin gekommen, um Ihren Vater zu sprechen.«

»Meinen Vater?« fragte sie diplomatisch. »Weiß er davon?«

»Nein.«

»Sie sind Engländer?«

»Ja.«

»Halten Sie es für richtig«, fragte sie, »mit feuernden Kanonen in diesen Hafen einzulaufen, der das Tor zu unserem Land ist?«

»Wir befinden uns im Krieg mit Frankreich, Ma'am. Die *Lyon* ist ein französisches Kriegsschiff.«

»Und unser Gast.«

»Ihr *Gast*?« Forschend blickte er sie an, ob sie auch die Wahrheit sprach; doch er konnte im Halblicht nur ihre spöttisch blitzenden Augen sehen.

»Kapitän de Rocheville ist eingeladen worden.«

»Von wem?«

»Von meinem Vater.«

»Zu welchem Zweck?«

Sie errötete vor Ärger. »Das ist meines Vaters Sache.«

»Und meine. Kann es sein, daß er herkam, um über eine Allianz mit Ihrem Lande zu verhandeln? Über eine Allianz zwischen Frankreich und Persien?«

»Vielleicht.«

»Handelsrechte als Gegenleistung – wofür? Für militärische Hilfe? Ein französisches Linienschiff, das diese Gewässer von Piraten säubern soll?«

Sie gab keine Antwort, doch wurden ihre Augen deutlich wachsamer, als sei er mit seiner Vermutung nicht weit von der Wahrheit entfernt.

»Oder als Hilfe im Kampf gegen die Ottomanen? Sie haben, glaube ich, mehrere starke Schiffe in Basra, doch keines, das es mit der *Lyon* aufnehmen könnte.«

Sie antwortete immer noch nicht.

»Oder um Ihnen bei Ihren augenblicklichen Schwierigkeiten mit den Rebellen zu helfen? Wenn ja, dann hat er sich ziemlich verspätet. Das war, fürchte ich, meine Schuld.«

»Diese Schwierigkeiten, wie Sie es nennen, wurden ohne Hilfe der *Lyon* bereinigt.«

»Doch ihre Hilfe war zugesagt worden?«

»Keineswegs. Wie hätte eine solche Vereinbarung getroffen werden sollen, da wir die Schwierigkeiten doch nicht voraussahen?«

»Das heißt, es war nicht vereinbart worden, daß de Rocheville zu einem bestimmten Datum hier sein sollte?«

»Nein. Wie denn auch? Mein Vater ist vor einigen Monaten, gegen Ende der heißen Jahreszeit, von einem französischen Emissär angesprochen worden. Mein Vater war geneigt, über ein Abkommen zu verhandeln. Die Franzosen versprachen, einen Kapitän de Rocheville zu schicken.«

»Es wurde kein bestimmter Termin vereinbart?«

»Nein. Bevor wir eine Nachricht aus dem Süden bekamen, konnten wir nur schätzen, wann Kapitän de Rocheville hier sein würde.«

Plötzlich sah Kelso genau vor sich, wie der französische Plan funktionieren sollte. Jetzt verstand er vieles, was ihm bisher rätselhaft gewesen war, und dank dieser Erkenntnis sah er eine Chance, de Rochevilles Vorteil wettzumachen. Doch dazu mußte er das Vertrauen der Prinzessin gewinnen.

»Da Sie allein hier sind, Ma'am, nehme ich an, daß Ihr Vater nicht in Buschir weilt?«

»Er ist in der Hauptstadt, in Schiras. Nachdem Schahrukhs Rebellentruppe geschlagen war, ist er nach Schiras zurückgekehrt.«

»Doch sie blieben hier.«

Sie lächelte ein bißchen grausam. »Eine Anzahl Rebellen waren gefangengenommen worden. Ich mußte für ihre – Erledigung sorgen.«

»Sie haben sie töten lassen?«

»Sie wurden getötet.«

Kelso stieß sich vom Kajütschott ab und ging zur anderen Seite der Kajüte, so daß er in einigem Abstand von ihr war. »Dieser Schahrukh«, fragte er, »ist das einer der Großkhans, die Ihr Vater abgesetzt hat?«

»Er ist der Sohn von Reza Kuti und der Enkel von Nadir Schah.«

»Des großen Nadir Schah?«

»Unwissende mögen ihn groß nennen«, erwiderte sie kalt.

»Kam dieser Angriff – oder dieser Aufruhr – völlig unerwartet?«

»Völlig. Schahrukh darf immer noch die Provinz Khurasan regieren. Mein Vater meinte, wenn man ihm eine gewisse Macht belieBe, würde er sich zufriedengeben. Doch das war ein Irrtum. Schahrukh ist ein böser Mann, so böse, wie schon sein Vater und sein Großvater waren. Er war immer noch neidisch auf meinen Vater; insofern kam der Aufruhr nicht gänzlich unerwartet.«

»Sie sagten aber doch –«

»Das Unerwartete war die Richtung, aus der die Rebellion kam. Khurasan liegt im Nordosten. Unsere Truppen haben den Angriff von dort erwartet.«

»Aber er kam von der Küste her?«

»Von Nordwesten. Er begann an der Grenze, nicht weit von Basra, und muß ganz offenbar von ottomanischer Seite unterstützt worden sein.«

»Und breitete sich dann weiter entlang der Küste aus?«

»Bis nach Buschir. Unsere Streitkräfte waren zersplittert. Eine Zeitlang sah es so aus, als ob Schahrukh gewinnen würde.«

»Er hätte gewonnen, wenn er in den entscheidenden Tagen Unterstützung von See her bekommen hätte. Sagen wir, durch ein französisches Kriegsschiff.«

Überrascht von diesem unerwarteten Hinweis sah sie ihn an und zog die glatte Stirn in Falten. »Das verstehe ich nicht«, sagte sie schließlich.

»Hören Sie zu, Ma'am«, antwortete Kelso energisch, »ich werde Ihnen erklären, wie es wirklich war. Ich werde Ihnen sagen, welchen Auftrag Kapitän de Rocheville in Wirklichkeit von seiner Regierung bekommen hat.«

Er saß auf der Kante der Tischplatte und beugte sich zu ihr hinunter, so daß sie nicht anders konnte, als ihm zuzuhören. »Die Lage Frankreichs in Indien und im ganzen Orient ist in den letzten Jahren immer schwieriger geworden. In Plassey* haben die Franzosen einen Rückschlag erlitten, von dem sie sich nie mehr erholen werden. Sowohl ihr Prestige als auch die Kampfkraft ihrer Truppen ist dahin.«

»Das sagen Sie, ein Engländer«, unterbrach sie ihn kühl.

»Das besagen die Ereignisse, und die französische Regierung weiß es – wenn sie es auch nach außen nicht zugibt.«

Sie zuckte flüchtig die Achseln. »Also?«

---

* Schlacht bei Plassey 1757 unter Clive, der daraufhin Lord of Plassey wurde (d. Übers.)

»Also brauchen die Franzosen neue Verbündete, neue Handelsabkommen, um den Verlust Indiens auszugleichen.«

»Was ist daran unrecht? Wenn es so ist, wie Sie sagen, wäre es doch
nur natürlich, daß sie neue Handelsbeziehungen suchen.«

»Ja. Genauso, wie man mich zu diesem Zweck hergesandt hat.«
Sie hob die Brauen. »So? Und wo ist also der Unterschied?«

»Der Unterschied ist, daß ich gesandt worden bin, um mit Ihrem
Vater, Karim Khan Sand, ein Handelsabkommen zu schließen. Kapitän de Rocheville sollte ebenfalls ein Bündnis mit Ihrem Vater
schließen – aber für ihn war Ihr Vater nur zweite Wahl. Der
eigentliche Zweck seiner Mission war ein Bündnis mit Schahrukh,
Ihrem Feind.«

Sie sah ihn unbewegt an, und wieder hatte er den Eindruck, daß
Grausamkeit hinter diesen wunderbaren Augen lauerte. Eine Zeitlang herrschte Schweigen; nur das Knarren der Planken und Schritte
an Deck – Fentons Schritte? – waren zu hören. Schließlich sagte sie:
»Und die Engländer? Wenn Sie bei Ihrer Ankunft festgestellt hätten,
daß mein Vater gestürzt worden war, hätten Sie dann kehrtgemacht
und wären nach Hause gefahren, ohne ein greifbares Ergebnis der
langen Reise?«

Ehrlich erklärte Kelso: »Ich hätte den Umsturz bedauert, aber ich
hätte mein Bestes getan, um mit dem Nachfolger ins Geschäft zu
kommen.«

»Sogar mit Schahrukh?«

»Sogar mit Schahrukh.«

»Dann sind Sie auch nicht besser als de Rocheville – selbst wenn
Ihre phantastische Geschichte sich als wahr erweisen sollte.«

»Ich bin Realist und diene der Company. Ich wäre nicht ehrlich zu
Ihnen, wollte ich behaupten, daß meine Befehle nicht besagen, ein
Handelsabkommen mit dem Herrscher Persiens abzuschließen – wer
immer es sein mag.« Lächelnd sah er sie an und fuhr fort: »Doch mein
Auftrag war auf die Hoffnung gegründet, daß dieser Herrscher Karim
Khan Sand ist.«

»Aber de Rocheville erhoffte sich anderes?«

»Warum, glauben Sie, hat Schahrukh gerade an dieser Stelle
zugeschlagen? Sie haben doch selbst gesagt, Sie hätten es nicht
erwartet. Sein Gebiet liegt im Nordosten – warum sollte er achthun-
dert Meilen über Land marschieren und im Nordwesten angreifen?«

»Wegen der ottomanischen Hilfe vielleicht. So hätte er eine sichere
Rückzugslinie gehabt.«

»Aber warum an der Küste? Warum hat er nicht im Landesinnern zugeschlagen?«

»Längs der Küste verläuft eine gute Straße. Und ihm mußte daran liegen, Buschir zu erobern.«

»Wenn er Erfolg gehabt hätte – wäre Ihr Vater dann mit dem Leben davongekommen?«

»Kaum. Dieser Hafen ist das offene Tor nach Persien. Hätte Schahrukh ihn erobert, wäre das ganze Land von der See abgeschnitten.« Sie machte eine Handbewegung. »Deswegen hat Schahrukh auch hier losgeschlagen.«

»Vielleicht gab es noch einen anderen Grund.«

»Welchen?«

»Nehmen Sie einmal an, die französische Regierung hätte zwei Gesandte geschickt – einen zu Ihrem Vater und einen zweiten heimlich zu Schahrukh.«

»Das würden sie nicht wagen«, erwiderte sie ärgerlich.

»Nehmen Sie an, sie hätten – wie wir auch – von der Gerechtigkeit und Liberalität Ihres Vaters gehört. Und nehmen Sie an, auch von Schahrukhs Grausamkeit.«

»Das anzunehmen, bin ich bereit.«

»Versetzen Sie sich andererseits in die Lage einer schwachen, fast verzweifelten französischen Regierung, die etwas mehr als nur Handelsrechte will – nämlich Waffenhilfe.«

»Darauf hätte sich mein Vater nie eingelassen.«

»Dessen bin ich sicher. Doch Schahrukh wäre darauf eingegangen.« Sekundenlang dachte sie nach und schüttelte dann den Kopf. »Aber warum sollte er? Welche Vorteile könnte er davon haben?«

»Unterstützung möglicherweise, bewaffnete Hilfe bei der Eroberung des Thrones.«

Endlich verstand sie. »Durch ein französisches Linienschiff?«

»Genau«, antwortete er. »Ständig habe ich mich in diesen Wochen darüber gewundert, daß de Rocheville so viel daran gelegen war, rechtzeitig hier zu sein. Vor der Malabarküste stießen wir zufällig auf ihn. Wir waren nur zu zweit, die *Paragon* und eine kleine bewaffnete Schaluppe. Von Anfang an schien de Rocheville keine Lust zum Kämpfen zu haben. Doch wir griffen ihn an. Das andere Schiff meines Verbandes wurde versenkt und die *Paragon* erheblich beschädigt.«

»Und de Rochevilles Schiff?«

»Die *Lyon* war zwar havariert, doch sie hätte uns zweifellos versenken können, wenn sie gewollt hätte. Statt dessen brach sie das

Gefecht ab und segelte nach Norden.«

»Und Sie hinterher?«

»Wir waren am Sinken oder doch nahe daran und verdankten es einzig der Gnade Gottes, daß wir es bis Bombay schafften. Dort, auf der neuen Werft, wurde die *Paragon* repariert, und nach fünf Wochen waren wir wieder seetüchtig.«

»Fünf Wochen! Und doch waren Sie gleichzeitig mit der *Lyon* hier!«

»Die *Lyon* war, wie gesagt, leckgeschossen. Außerdem hatte sie den Fockmast verloren und noch andere leichtere Schäden davongetragen. Ich kann nur raten, was in diesen Wochen geschehen ist; aber ich denke, de Rocheville hat eine ruhige Bucht angelaufen und sein Schiff so weit wie möglich repariert.«

»So weit wie möglich?«

»Der schlimmste Schaden ist an oder unter der Wasserlinie. Um den zu beseitigen, hätte er sein Schiff auf Strand setzen müssen.«

»Und das konnte er nirgends?«

»Nirgends in Indien, obwohl es das kleinere Risiko gewesen wäre.«

»Als mit einem sinkenden Schiff über den Ozean zu segeln?«

»Jawohl. Andererseits hätte er auch irgendeinen Hafen anlaufen können – Ormuz zum Beispiel.«

»Aber er zog es vor, bis Buschir durchzusegeln?«

»Eben. Deswegen bin ich ja so sicher, daß de Rocheville ein Doppelspiel treibt. Ich glaube, die Franzosen hatten mit Schahrukh vereinbart, daß die *Lyon* zu einem bestimmten Zeitpunkt, etwa vor drei oder vier Wochen, eintreffen sollte.«

»Rechtzeitig zur Revolte?«

»Genau. Und er wäre auch dagewesen, wenn nicht dieses unglückliche Zusammentreffen mit mir dazwischengekommen wäre.«

Die Prinzessin nickte nachdenklich. »Aber warum sollte er weitere Risiken eingehen, wenn bereits klar war, daß er nicht rechtzeitig eintreffen konnte?«

»Weil er selbst dann noch die Situation hätte retten können. Er wußte doch nur, daß Schahrukh an einem bestimmten Tag losschlagen wollte. Diese Rebellion basierte, dessen bin ich ganz sicher, auf der Unterstützung durch ein französisches Linienschiff. Und was würde geschehen? Wenn die *Lyon* nicht rechtzeitig erschien, würde Schahrukh um Zeit kämpfen. Er hätte sich wahrscheinlich auf die schmalste Stelle der Küstenebene zurückgezogen und diese verteidigt in der Hoffnung, daß die *Lyon* schließlich doch noch aufkreuzte.«

»Sie haben recht. Genauso sind die Kämpfe verlaufen.«

»Aber Schahrukh hielt nicht lange genug durch?«

»So ist es. Wir sandten eine Elitetruppe in die Berge, die ihn umgehen und ihm den Rückzug abschneiden sollte. Fünfhundert Rebellen wurden getötet. Und wir machten viele Gefangene.«

»Und Schahrukh?«

»Er entkam zur See.«

Kelso lehnte sich zurück und sah zu, wie sie über diese bittere Wahrheit nachdachte. Wie schön sie ist, dachte er: die makellose Haut, die schmale, kühne Nase. Doch auf ihren Lippen lag Grausamkeit, und auch in ihren Augen, als sie die Möglichkeit erwog, hintergangen worden zu sein.

Endlich sagte sie: »Was Sie mir da erzählt haben, Kapitän Kelso, halte ich zumindest für einen gerechtfertigten Verdacht. Ich werde de Rocheville festnehmen lassen.«

»Nein.« Kelso richtete sich auf. »Wenn Sie ihn festnehmen, Ma'am, haben wir nichts in Händen. Seine Befehle, wenn sie überhaupt schriftlich vorlagen, hat er sicherlich verbrannt. Die französische Regierung wird gegen seine Festnahme protestieren und vielleicht sogar eine Strafexpedition schicken. Sie könnte das als plausible Begründung begrüßen.«

»Mit französischen Eindringlingen können wir fertigwerden«, erwiderte die Prinzessin verächtlich.

»Immerhin würde es für Ihren Vater eine zusätzliche Belastung bedeuten, besonders da Schahrukh noch in Freiheit ist, und auch angesichts der unfreundlichen Haltung der Ottomanen.«

Widerwillig nickte sie. »Und was schlagen Sie vor?«

»Daß Sie gar nichts sagen, Ma'am. Daß Sie ihn als den akzeptieren, der er sein will – ein Gesandter an Ihren Vater.«

»Sie meinen, ich soll ihn nach Schiras bringen?«

»Ja. Lassen Sie ihn mit einer Eskorte und nur einem persischen Diener reisen.«

»Und Sie?«

Wieder machte Kelso eine eckige Verbeugung. »Mit Ihrer Erlaubnis, Ma'am, würde ich Sie gern begleiten – zu denselben Bedingungen.«

Der Schatten eines Lächelns flog über ihre Züge. »Sie sind ein tapferer Mann, Kapitän. Wenn ich persönlich Ihnen auch glaube, so könnten andere es nicht tun. Falls de Rocheville seine Angaben beweisen kann –«

»Das will ich riskieren.«

»Trotzdem kann ich nicht begreifen, warum wir die Sache nicht gleich hier erledigen sollen. Ich habe eine treue Leibgarde in der Stadt. Sie haben gewisse Methoden, einen Mann zum Sprechen zu bringen. Wenn de Rocheville lügt –«

»Er würde nichts zugeben, Ma'am. Ich habe gegen ihn gekämpft und bin ihm tausend Meilen weit auf hoher See gefolgt. Er ist ein tapferer Mann. Doch wenn er denkt, daß Sie nichts von seinen geheimen Beziehungen zu Schahrukh wissen, wird er vielleicht unvorsichtig. Und noch etwas: Diese Verhandlungen sind mit solcher Verschlagenheit geführt worden, daß es an Ihrem Hof einen Verräter geben muß.«

Übergangslos verzerrte sich ihr Gesicht vor Wut. »Wenn das der Fall ist...« sagte sie leise und böse.

»Wenn es einen Verräter gibt, wird de Rocheville Sie zu ihm führen.«

Nach kurzem Überlegen nickte sie entschlossen. »Richtig. Ich nehme Ihren Vorschlag an, Kapitän. Doch bevor wir aufbrechen, sage ich Ihnen dies: de Rocheville mag gelogen haben, und es mag auch einen Verräter an unserem Hof geben. Doch andererseits können auch Sie derjenige sein, der lügt. So oder so werde ich die Wahrheit herausfinden, sobald wir in Schiras sind.« Sie starrte ihn an wie eine orientalische Rachegöttin. »Und wenn ich die Wahrheit weiß – nun, ich möchte lieber nicht darüber sprechen, was mit dem geschehen wird, der mich hintergangen hat.«

15

Der Morgen dämmerte, als Kelso an Land ging; friedvoll erwartete der Hafen den Ansturm des grellen Tageslichts. Der Kutter glitt zwischen reglosen Dhaus und Fischerbooten über das stille Wasser, und auch an Land waren nur ein paar Eingeborene schon unterwegs, als Kelso den Kai betrat. Er stieg die Stufen hinauf und blickte über die geschwungene Pier zu der Stelle hin, wo die *Lyon* auf Strand lag. Er verspürte eine wilde Freude, als er sie dort auf dem Trockenen liegen sah; hilflos bot sie den algenbewachsenen Rumpf seinen Blicken dar, und die Masten wirkten durch den schiefen Winkel seltsam verkürzt. Schon wimmelte es auf dem fernen Strand von französischen Matrosen, die bereits begannen, die zerstörten Planken herauszuschneiden.

Hauptmann Lillywhite, der Kelso mit einem Detachement Seesoldaten begleitete, fragte besorgt: »Glauben Sie es riskieren zu können, sich allein unter diese Frogs zu wagen?«

»Sie werden mir kaum etwas tun«, erwiderte Kelso, »es sei denn, sie wollen sich mit der persischen Armee einlassen. Und zu Lande kämpfen – das können sie vorläufig nicht.«

»Mit Respekt, Sir, sie haben schließlich keinen Grund, Ihnen geneigt zu sein. Nach allem, was Sie ihrem Schiff zugefügt haben...«

»Die Prinzessin hat mir freies Geleit zugesichert, und ich habe Kapitän de Rochevilles Bestätigung.«

»Das Wort eines Franzosen!«

»Was Sie auch über die Franzosen sagen mögen«, erwiderte Kelso, »sie haben Sinn für Ehre.« Er wandte sich nach Padstow um, der hochbeladen hinter ihm stand, zwei Kisten und einen Korb auf dem Rücken – die Geschenke der Company an Karim Khan. »Bist du soweit?«

»Alles klar, Sir, und wir sollten lieber losgehen, wenn ich mir nicht den Rücken brechen soll.«

»Es ist ja nur ein kurzes Stück.« Kelso ging voran und warf unwillkürlich einen Abschiedsblick auf die *Paragon*, die stolz und schön vor der Einfahrt zur Bucht ankerte.

»Wann sehen wir Sie wieder, Sir?« rief Lillywhite ihm nach.

Kelso blieb stehen. »Bis Schiras ist es ein ganzes Stück. Wahrscheinlich in zwei oder drei Wochen.«

»Und wenn Sie dann nicht zurück sind, Sir?«

»Dann weiß Mr. Fenton, was er zu tun hat.«

Er schritt den Kai entlang und stieg zu einem holperigen Weg hinunter, der längs der Küste verlief. Die Luft war kühl und roch nach Seetang. Eingeborene Fischer, die am Strand geschlafen hatten, stützten sich auf die Ellbogen und sahen ihm nach. Ein rippendürrer Hund bellte sie halbherzig an.

Um diese Einzelheiten kümmerte sich Kelso nicht. Seine Augen und Gedanken waren auf das französische Schiff gerichtet, das zu vernichten ihm Ehrensache war. Wie leicht das jetzt gewesen wäre! De Rocheville hatte keine Zeit gehabt, Vorkehrungen zur Verteidigung zu treffen. Eine einzelne Kanone war vom Geschützdeck auf einen schmalen Streifen Sand verholt worden, aber das war im Falle eines Angriffs von See her kaum mehr als eine schöne Geste. Andere Abwehr war nicht vorhanden. Griff die *Paragon* jetzt an, so konnte sie die *Lyon* mit Leichtigkeit vernichten.

Auch wenn Kelso mit diesem verlockenden Gedanken spielte, so wies er ihn doch entschlossen von sich, als er die Kolonne von Maultieren und Pferden sah, die auf der Straße hinter dem Strand Aufstellung genommen hatte. Etwa zwanzig Soldaten warteten geduldig, Zügel lose überm Arm, Flinten an die Sättel geschnallt. An der Spitze des Zuges stand Ibrahim neben einem prächtig aufgezäumten Hengst. Unter Palmen wartete eine Sänfte mit zugezogenen Vorhängen. Kelso verließ den Pfad und schritt über den steinigen Boden.

Sein Blick war auf die Sänfte gerichtet, und es dauerte eine Weile, bis er gewahr wurde, daß ein anderer Mann vom Strand heraufkam. Er wandte sich auf dessen Anruf um.

»*Monsieur le capitaine*?«

»Kapitän Kelso, zu Ihren Diensten.«

»Ich bin de Rocheville, Kommandant der *Lyon*.:«

»Erfreut, Sie kennenzulernen, wenn ich auch gestehen muß, daß ich nie erwartet hätte, mit Ihnen unter solchen Umständen zusammenzutreffen.«

De Rocheville warf ihm einen schiefen Blick zu. »In Kriegszeiten, *capitaine*, darf man hinsichtlich seiner Gesellschaft nicht wählerisch sein.«

»Ganz recht«, entgegnete Kelso freundlich, »doch ich tröste mich damit, daß es ja nur für ein paar Tage ist.«

Wütend starrte de Rocheville ihn an. »Hüten Sie sich, *capitaine*! Ich habe vierhundert Mann in Rufweite.«

»Und ich habe ein Schiff, ein seetüchtiges Schiff, mit ausgerannten Kanonen und den Geschützbedienungen daneben. Ihre Drohungen beeindrucken mich nicht.«

»Keine Drohungen, bitte«, sagte eine kühle Frauenstimme. »Von keiner Seite!« Prinzessin Amaril war aus ihrer Sänfte gestiegen und zu ihnen getreten. Im frischen Morgenlicht sah sie noch schöner aus, und obwohl sie verschleiert war, blickten ihre Augen befehlend.

»*Mademoiselle la princesse*!« De Rocheville nahm den Hut ab und zelebrierte eine tiefe, schwungvolle Verbeugung.

Kelso warf den Kopf hoch und murmelte: »Ihr Diener, Ma'am.«

»Wie ich sehe, haben Sie sich bereits bekanntgemacht«, sagte sie. »Ich erwarte nicht, daß Sie Freunde werden, aber denken Sie bitte beide daran, daß Sie meine Gäste sind.«

›Wiederum machte de Rocheville eine tiefe Verbeugung.

»Da wäre noch etwas, Ma'am, bevor wir aufbrechen«, sagte Kelso.

»Ja?«

»An Bord der *Lyon* befindet sich eine Anzahl englischer Gefangener. Ich möchte gern, daß sie alle auf mein Schiff überstellt werden.«

»Das lehne ich ab!« fuhr de Rocheville auf. »Sie sind meine Gefangene – Kriegsgefangene!«

Die Prinzessin blickte Kelso an. »Das erscheint mir gerechtfertigt, Kapitän. Sie sind im Gefecht gefangengenommen worden.«

»Sie wurden gefangengenommen, als ihr Schiff sank, Ma'am. Seitdem habe ich versucht, mit der *Lyon* zu kämpfen, um sie zu befreien. Erst jetzt habe ich sie erreicht.«

»Aber wir befinden uns in einem neutralen Hafen«, hakte de Rocheville ein. »Ich fürchte, Sie haben Ihre Chance vertan, *capitaine*.«

»Sie sind nur hier, weil ich nicht persische Schiffe durch mein Geschützfeuer gefährden wollte.«

De Rocheville hob die Schultern und entgegnete: »Wenn wir von Schiras zurück sind, werden Sie Ihre Chance bekommen. Dann habe ich wieder ein seetüchtiges Schiff. Sie werden mich nicht kampfunwillig finden.«

Wieder blickte die Prinzessin Kelso an. »Ich sehe nicht, wie ich Kapitän de Rocheville billigerweise darum ersuchen soll, die Gefangenen freizugeben. Wie er sagt, werden Sie Gelegenheit bekommen, wenn Sie zurückkehren.«

»Ich habe meine Gelegenheit jetzt«, erwiderte Kelso. »Eine einzige Breitseite der *Paragon* würde sein Schiff so zurichten, daß es nicht mehr zu reparieren ist.«

»Und ich verbiete es Ihnen!« rief sie aus. »Ich will kein Seegefecht in diesem Hafen.«

Schweigend sah Kelso ihr in die Augen. Wieviel von ihrem Zorn war echt, wieviel Verstellung? Glaubte sie noch wie gestern, daß de Rocheville ein doppeltes Spiel trieb? Er begriff durchaus, daß er sich in einer gefährlichen Lage befand. Fern dem Schutz seines Schiffes – sogar Lillywhite und seine Seesoldaten hatten den Kai verlassen – war er der Prinzessin auf Gnade und Ungnade ausgeliefert. So lange sie ihm glaubte, war er seines Lebens sicher. Doch wenn sie diesen Glauben verlor...

Sie blickte ihn immer noch wütend an, doch endlich entspannte sie sich mit einem leichten Aufseufzen. »Gut. Kapitän de Rocheville, ich glaube, unsere Reise wird angenehmer, wenn Kapitän Kelso diese Sorge los ist.«

»Aber *Madame*!«

»Ich weiß, ich verlange viel. Andererseits ist es ein geringer Preis für ein Bündnis mit Persien.«

Widerwillig lenkte de Rocheville ein. Sekundenlang sah es aus, als würden seine guten Manieren der Belastung nicht gewachsen sein. Doch er brachte ein kleines Lächeln zustande, und mit einer Verbeugung, die aber deutlich weniger ausdrucksvoll war als zuvor, sagte er: »Wie *madame* wünschen. Ich werde den Befehl geben.« Beim Gehen blickte er über die Schulter zu Kelso zurück. »Zweifellos werden sie bald wieder in meinem Gewahrsam sein und der Kapitän der *Paragon* auch.«

»Der Kapitän der *Paragon* wird sein Bestes tun, Sie aus diesen Gewässern hinauszujagen, genau wie er Sie hineingejagt hat«, gab Kelso zurück.

Als er weg war, blickte Kelso wiederum die Prinzessin an und bemerkte, daß ihre Augen nicht mehr so hart waren wie vorhin. Sie schien sogar zu lächeln, und ihre Stimme klang freundlich, als sie sagte: »Wenn Sie wollen, kann Ihnen Ibrahim Ihre Pferde zeigen.«

»Danke. Da sind noch ein paar Sachen, die mein Diener trägt. Geschenke für Ihren Vater.«

»Bestechung?« Jetzt lächelte sie sicherlich unter ihrem Schleier.

»Wenn Sie es so nennen wollen. Aber ich glaube nicht, daß Ihr Vater sich davon beeinflussen lassen wird.«

»Es könnte immerhin sein. Er ist ein umgänglicher Mann, umgänglicher als ich.«

»Sind Sie so gefährlich?«

»Manche Leute denken das – meine Feinde.«

»Und Ihre Freunde?«

Er hatte den Eindruck, daß sie die Stirn runzelte. »Das weiß ich nicht. Für eine Prinzessin ist es nicht leicht, Freunde zu haben.«

»Dann also Liebhaber?«

Jetzt verlor sie zum erstenmal die Fassung. Sie senkte die Augen und wurde zornig auf sich selbst, weil sie das getan hatte. Sie schob den Schleier einen Zoll höher, wie um ein Erröten zu verbergen.

Kühn blickte er sie an. »Nun?«

»Es ist ungalant von Ihnen, mich so etwas zu fragen.«

»Ungalant anzudeuten, daß Sie schön sind?«

Kritisch musterte er sie, absichtlich so lange, bis sie nervös und verwirrt wurde. »Ja«, sagte er, »ich glaube, Sie sind die schönste ...« Er wandte sich ab und ließ den Satz unvollendet. »Da kommt de Rocheville«, schloß er.

16

Sie ritten den ganzen Tag durch eine Landschaft, die immer kahler und feindseliger wurde. Nach dem schütteren Gras und dem spärlichen Baumwuchs der Küste ging es jetzt steil aufwärts in kahle Hügel und Berge, die sich, eine Kette nach der anderen, bis zum Horizont erstreckten. Kamelkarawanen trotteten vorbei, die Reiter von der gnadenlosen Sonne beinahe schwarz gebrannt. Die Hügel waren braun, die Dörfer und der Pfad ebenfalls. Nur die Kolonne von Pferden und Menschen brachte etwas Farbe in die Landschaft.

An der Spitze des Zuges reiste die Prinzessin mit ihrer Leibwache, die aus Ibrahim und ein paar ausgesuchten Soldaten bestand. Sie schien, seit die Reise begonnen hatte, ihre Gäste vergessen zu haben. Kelso fand den Ritt beschwerlich, die brennende Sonne, den harten Sattel, die von den vorderen Pferden aufgewirbelten Staubwolken. Padstow, der nie seinen Mund halten konnte, ritt dicht hinter ihm; und wenn man den Bemerkungen glauben wollte, die er laut werden ließ, so litt er sogar noch mehr als sein Kapitän.

De Rocheville hatte anscheinend seine privaten Gründe, ein Stück zurückzubleiben. Wenn Kelso sich im Sattel umwandte, sah er ihn übellaunig dahinreiten, den Kopf tief gesenkt, die Schultern gebeugt. Sein Steward und ein persischer Diener hielten sich dicht hinter ihm.

Gegen Mittag wurde Halt gemacht, um die Pferde zu tränken und ein kärgliches Mahl einzunehmen. Steifbeinig saß Kelso ab und trat in den Schatten der Palmen. Er beobachtete die Prinzessin, die am Rand der Palmengruppe auf einem Teppich ruhte, den ihr der treue Ibrahim ausgebreitet hatte. Anscheinend hatte sie keine Lust, mit ihren Gästen zu reden. Kelso konnte nicht umhin sich zu fragen, woran sie wohl denken mochte. Je weiter man ins Landesinnere kam, umso mehr waren er – und in gewissem Grade auch de Rocheville – auf Gnade und Ungnade in ihrer Hand. Was könnte er wissen – vielleicht spielte sie ein ebenso feines und gefährliches Spiel wie de Rocheville. Er konnte sich vorstellen, daß sie zu großer Liebe fähig war – ebenso wie zu bitterstem Haß.

Er sah, daß zumindest de Rocheville keine Zweifel über ihre Absichten hegte. Er saß mit krummem Rücken am Boden, einen Becher Wein in der einen, eine Schale mit Früchten in der anderen Hand. Sein Steward neben ihm blickte wachsam um sich. Der eingeborene Diener wusch ihm die Füße.

Kelso nahm die Feldflasche mit Wasser, die Padstow aus dem

Brunnen gefüllt hatte, trank einen Schluck und spürte Staub und feinen Sand auf der Zunge. Er beugte sich vor und hielt die Feldflasche so, daß ihm das kühle Wasser über Gesicht und Hals rann. Sehr erfrischt trocknete er sich mit dem Tuch ab, das Padstow ihm hinhielt.

»Am besten machst du das auch«, sagte Kelso. »Gott weiß, wie weit wir heute noch reiten.«

Auf Padstows staubverkrustetem Gesicht malte sich komische Verzweiflung. »Sie meinen, es geht noch weiter, Sir?«

»Sicher. Wenn wir hierbleiben würden, hätten sie Zelte aufgeschlagen.«

Resigniert hob Padstow die Schultern. »Na schön, Sir, Hauptsache, die wissen, wo es langgeht. Für mich sieht diese Wüste überall gleich aus.«

»Für mich auch.« Kelso sah sich um, ob sie unbelauscht waren. »Wenn mir was zustößt – vergiß nicht, daß wir direkt nach Osten reiten. Wenn du zur Küste zurück willst, nach Buschir –«

»Dann reite ich wie der Teufel immer der Abendsonne nach, Sir.«

»Ich hoffe, es wird nicht nötig sein«, schloß Kelso.

Sie rasteten eine knappe Stunde und ritten dann weiter ostwärts. Einen Pfad konnte Kelso nicht entdecken, doch die Vorreiter an der Spitze der Kavalkade schienen genau zu wissen, wohin sie wollten. Die Sonne, die ihnen den größten Teil des Vormittags direkt in die Augen geschienen hatte, schlug nun auf ihre Rücken ein wie eine Geißel. Selbst die Perser krümmten sich unter ihrer Kraft. Die Pferde begannen, über Steinbrocken zu stolpern, die sie am Vormittag vermieden hätten. Stumm und mit hängenden Köpfen ritten die Soldaten dahin.

»Wie weit noch, Sir?« fragte Padstow, als die Kolonne in eine lange von dumpfer Luft erfüllte Schlucht einritt.

Kelso schüttelte nur den Kopf; er war zu müde zum Antworten, fast zu müde zum Denken.

Aus der Schlucht hinaus ritten sie auf eine Hochebene, und dann begann zum Glück der Abstieg. Die Pferde stolperten mehr denn je; ein Reiter flog kopfüber in die Steine. Er rappelte sich sofort wieder auf und sprang mit einem ängstlichen Blick auf die Prinzessin in den Sattel. Es ging weiter bergab, und bald wurde im Tal der grüne Fleck einer Oase sichtbar.

Pferde und Reiter waren durch die Aussicht auf Wasser wie neu belebt, und als der Weg weniger steil bergab führte, begannen die Reiter an der Spitze zu traben. Kelso, der sich mit letzter Kraft am

Sattel festklammerte, konnte gerade noch mit der Kolonne Schritt halten. Er war so durchgeritten, daß ihm jeder Stoß des Pferderückens Qual bereitete. Lauter als der Hufschlag der trabenden Pferde ertönte Padstows Jammern jedesmal, wenn er den Sattel berührte. De Rocheville war weit zurückgefallen; es sah aus, als hätte er die Fühlung mit der Kolonne verloren.

Doch endlich fand die Qual ein Ende. Der vorderste Reiter näherte sich den Bäumen, man saß ab. Ibrahim half der Prinzessin aus der Sänfte.

»Gott sei Dank!« murmelte Padstow. »Jetzt muß ich bloß noch von diesem Gaul herunter.«

Nach dem beschwerlichen Tagesritt befaßten sich die erfahrenen persischen Soldaten mit dem Problem, für ein bequemes Nachtlager zu sorgen. Ein großes Zelt für die Prinzessin wurde aufgeschlagen, zwei kleinere für ihre beiden Gäste. Als der Abend einfiel und die Sonne ihre gnadenlose Glut verloren hatte, wurden Feuer angezündet und Schafe gebraten. Kelso, der sich mit einer weiteren Feldflasche Wasser erfrischt hatte, verspürte zu seiner Überraschung Hunger. Da sich die Prinzessin nicht mehr sehen ließ und de Rocheville offensichtlich zu übler Laune war, um Konversation zu machen, aß Kelso allein auf dem frischen Gras vor seinem Zelt. Die Sonne sank mit einem wunderbaren Spiel roter, violetter und purpurner Farbtöne; und dann war es ganz plötzlich Nacht. Müde kroch Kelso in sein Zelt und schlief sofort ein.

Als er aufwachte, weil ihn jemand am Arm berührte, hatte er keine Ahnung, wie lange er geschlafen hatte. Halbwach setzte er sich auf und dachte, es sei Padstow mit dem Morgenkaffee. Doch dann fiel ihm das Fehlen der Schiffsgeräusche auf, und plötzlich wußte er wieder, wo er war. Er öffnete die Augen.

Es war noch stockdunkel, und die Gestalt, die bei ihm kauerte, war nicht Padstow, sondern Ibrahim.

Kelso setzte sich auf und tastete nach seinem Säbel, doch der riesige Nubier hatte seine Schulter mit festem Griff gefaßt. »Kein Laut«, flüsterte er; es klang dringend und beschwörend.

»Was willst du?« fragte Kelso leise.

»Zu Prinzessin kommen!«

»Jetzt?«

»Bitte.«

Mißtrauisch blickte Kelso ihn an. Bei nunmehr klarem Kopf sah er ein, daß er ein Dutzend Gründe hatte, dieser Einladung zu mißtrauen.

Doch andererseits sagte ihm sein Verstand, daß es noch am wenigsten gefährlich war, wenn er gehorchte. Wollte Ibrahim ihn umbringen, so hätte er das an Ort und Stelle tun können, während er noch schlief.

Er stand auf und klopfte im Finstern den Sand von seinen Kleidern, zog das Hemd an, das er abgelegt hatte, bevor er erschöpft in Schlaf gesunken war, und sagte mit einem Blick auf Ibrahim: »Ich bin bereit.«

Draußen lag der sanft schnarchende Padstow. Er bewegte sich im Schlummer, als sie über ihn hinwegtraten, und stieß eine unverständliche Drohung aus. Andere dunkle Gestalten, schlafende Männer, lagen im Sand; bei den Bäumen wieherte ein Pferd. Schwarz standen die schlanken, gebogenen Wedel der Palmen vor dem Nachthimmel. Leise folgte Kelso dem Nubier durch das schlafende Lager.

Als sie das Zelt erreicht hatten, bedeutete ihm der Schwarze durch eine Handbewegung, er möge hineingehen – etwas verlegen, wie es ihm vorkam. Doch Kelso blieb stehen. Er hatte keine Lust, beim Eintritt ins Zelt der Prinzessin niedergemacht zu werden. Ibrahim winkte nochmals und flüsterte: »Hinein!« Kelso schüttelte den Kopf.

Es war schwer zu sagen, was geschehen wäre, wenn sich nicht in diesem Moment die Zeltklappe geöffnet hätte; Prinzessin Amaril blickte ihm erwartungsvoll entgegen. In dem schwachen Licht sah sie kühl und unwirklich aus – und schöner denn je. »Du kannst gehen, Ibrahim«, sagte sie leise.

Kelso musterte sie aufmerksam, um zu ergründen, was hinter dieser seltsamen Einladung steckte; doch alles, was er erkennen konnte, war das dunkle Leuchten ihrer Augen. Mit einer Handbewegung forderte sie ihn auf, und er trat ins Zelt.

Es war überraschend groß und bequem. Im dämmerigen Schein einer Öllampe unterschied er die Teppiche auf dem Boden, die Kissen und die niedrige Liegestatt.

»Ich mußte Ibrahim ohne weitere Erklärung zu Ihnen schicken«, sagte sie, »aber ich bin froh, daß Sie gekommen sind.«

Wie neulich in der Abgeschlossenheit seiner Kajüte ließ sie auch jetzt den Schleier sinken und legte nach einem zögernden Blick auch ihren Umhang ab. Da erst sah er deutlich, wie schön sie war. Mit ihren schmalen Schultern wirkte sie sehr jung; sie konnte der Kindheit noch nicht lange entwachsen sein. Sechzehn oder siebzehn Jahre war sie vielleicht, doch nach orientalischen Maßstäben eine Frau. Mit fast kindlicher Unsicherheit sagte sie: »Ich wollte Sie allein sprechen.«

»Ja?«

»Wegen Kapitän de Rocheville.«

Kelso schwieg abwartend, und sein Schweigen schien ihre Verlegenheit noch zu erhöhen. »Ich bin Ihnen den ganzen Tag aus dem Wege gegangen«, sagte sie, »doch Sie dürfen nicht denken...«

»Ich verstehe schon: de Rocheville muß auch weiterhin glauben, daß er in Sicherheit ist.«

»Das war meine Absicht. Wenn wir ihn bis Schiras in Sicherheit wiegen können, führt er uns vielleicht zu dem Verräter am Hof.«

»Ja.«

»So dürfen Sie also, weil ich Sie mied, nicht denken...«

»Daß Sie das Vertrauen in meine Geschichte verloren haben.«

»Daß ich das Vertrauen in Sie verloren habe.«

Ernst neigte er den Kopf und erwiderte: »Ich danke Ihnen.« Er konnte nicht glauben, daß sie ihn aus seinem wohlverdienten Schlaf geholt hatte, um ihm nichts weiter als das mitzuteilen; doch was es auch sein mochte – merkwürdigerweise schien sie sich nicht weiter äußern zu wollen. »Wir brechen in ein paar Stunden wieder auf?« fragte er, um sie zum Sprechen zu bringen.

»Bei Sonnenaufgang.«

Er wartete noch einen Moment und sagte dann: »Mit Ihrer Erlaubnis, Ma'am, werde ich also wieder in mein Zelt gehen.«

»Gewiß.«

Er verneigte sich und schritt zum Ausgang. Er hatte die Hand bereits an der Zeltklappe, da rief sie: »Halt!«

Eilig trat sie neben ihn und flüsterte stockend: »Ich sehe nach... Ibrahim draußen... Ob niemand in der Nähe...«

Er trat beiseite, als sie die Klappe öffnete. Sekundenlang stand sie im Rahmen der Zeltöffnung; der durchsichtige Stoff verhüllte ihren jugendlichen Körper nur unvollkommen. Dann wandte sie sich ihm zu und berührte seinen Arm. »Es ist alles ruhig.«

Er machte keine Bewegung.

»Alles ruhig«, wiederholte sie. Ihre Stimme schwankte, als sie sah, wie er sie anblickte. Schnell ließ sie die Zeltklappe fallen.

Er hörte, daß ihr Atem auf einmal schneller ging, und spürte ihren bebenden Körper an dem seinen. Als er sie in die Arme nahm, klammerte sie sich so fest an ihn, als wolle sie ihn niemals loslassen. Er küßte sie, und ihre Lippen öffneten sich voller leidenschaftlicher Bereitschaft.

17

Die Morgendämmerung mußte bereits nahe sein, als er aus Amarils Zelt trat. Ibrahim stand im Dunkel der Palmen; jenseits derselben patrouillierten Wachen. Doch im Lager rührte sich nichts. Vorsichtig ging Kelso um die Schlafenden herum, die reglos wie Leichname um die niedergebrannten Feuer lagen, und zu seinem Zelt. Er war noch etwa zwanzig Schritte davon entfernt, so nahe, daß er den schlafenden Padstow liegen sah; da blieb er stehen und lauschte. Unter den Bäumen rupften die Pferde, denen man für die Nacht an den Vorderbeinen Fesseln angelegt hatte, das kurze Gras. Am Rand der Wüste hatte sich der Wachtposten soeben umgewandt und begann seine Runde in der Gegenrichtung, zum anderen Ende des Lagers hin. Es war noch ganz dunkel. Eine Stunde vielleicht, dann würde das Lager lebendig werden, und die Vorbereitungen zum Aufbruch begannen. Sehnsuchtsvoll dachte Kelso an seine Ruhestätte.

Er hatte bereits den ersten Schritt aus dem Dunkel getan, da spürte er mehr als er sah, daß sich zu seiner Rechten etwas bewegte. Er blieb stehen, starrte forschend in die Dunkelheit, konnte aber nur die Konturen der nächsten Bäume ausmachen. Da Padstow ziemlich laut schnarchte, konnte er auch nichts Verdächtiges hören. Und doch war da etwas.

Weiter rechts grasten die Pferde immer noch, doch sah er in diesem Moment, daß eines, das sich von den anderen entfernt hatte, beunruhigt den Kopf hochwarf, sich dann abwandte und, durch die Fesseln behindert, davon stelzte. Und Kelso sah eine schattenhafte Gestalt.

Instinktiv faßte er nach seinem Säbel, merkte jedoch, daß er ihn in seinem Zelt gelassen hatte, als er Ibrahims mysteriöser Aufforderung gefolgt war. Auch seine Pistole lag im Zelt.

Die lautlose Gestalt war jetzt ganz nahe. Er vernahm das schwache Rascheln der Kleidung und sogar erregtes Atmen. Und er konnte den Dolch erkennen.

Bis zu diesem Moment hatte er nur das Gefühl gehabt, etwas vorsichtig sein zu müssen. Männer, auch sattelmüde Männer, mochten wohl einmal ihren Schlaf unterbrechen und durch das nächtliche Lager gehen. Köche und Diener mußten vielleicht früher aufstehen. Aber dieser Mann hatte einen Dolch in der Hand.

Gespannt erwartete Kelso den Angriff.

Erst als der Mann an ihm vorbei war, merkte Kelso, daß er Glück gehabt hatte. Weil er reglos stehengeblieben war, hatte ihn der Mann –

ein Perser – nicht gesehen, obwohl er in knapp drei Schritt Entfernung an ihm vorbeigeschlichen war. Jetzt war er dicht vorm Zelt und stieg über den dort liegenden Padstow.

Rasch und leise trat Kelso herzu und war über dem Eindringling, als dieser eben ins Zelt wollte. Der Perser spürte im letzten Augenblick, daß er entdeckt war, und fuhr blitzschnell herum. Kelso fing die Hand mit dem Dolch auf und fühlte die andere Hand an seiner Kehle. Halb erstickt drängte er zurück; schreien konnte er nicht. Er hob das Knie an und stieß es dem Angreifer scharf in die Leistenbeuge. Der Perser stöhnte schmerzvoll auf und umklammerte Kelsos Unterleib mit den Beinen, so daß sie beide zu Boden stürzten.

Kelso lag zuunterst. Der Perser war kräftig, doch Kelso hatte das Gelenk der Hand nicht losgelassen, die den Dolch noch gezückt hielt. Kelso wußte, daß er auf gar keinen Fall loslassen durfte. Er rollte sich zur Seite, so daß er seinen Ellbogen gegen den Boden stützen konnte. Der Perser keuchte. Sein Körper, der sich gegen Kelso preßte, war hart und muskulös.

Kelso krümmte sich plötzlich und versuchte, seinen Angreifer abzuwerfen, doch dieser hatte die Bewegung vorausgesehen. Der Perser versuchte jetzt nicht mehr, seine Hand zu befreien, denn er merkte zweifellos, daß Kelso loslassen mußte, wenn er mit seinem Würgegriff nicht nachließ. Und dann konnte er zustoßen.

Kelso hatte jetzt vollkommen klaren Kopf. Er wußte, daß er diese mörderische Umarmung allenfalls durch einen Bluff brechen konnte. Er tat, als schwänden ihm die Kräfte, und ließ zu, daß der Dolch sich immer tiefer auf seine Brust senkte. Er spürte, wie der Perser zuversichtlicher wurde. Der Dolch war jetzt nur noch ein paar Zoll von seiner Brust entfernt. Der Körperdruck des Angreifers ließ nach, als sich dieser zum Stoß etwas aufrichtete, den günstigsten Moment abwartend.

Da plötzlich stemmte Kelso die Fersen fest gegen den Boden. Mit aller Kraft warf er sich hoch und wölbte den Rücken. Der Perser, der darauf nicht gefaßt war, flog über Kelsos Kopf.

Im Bruchteil einer Sekunde warf Kelso sich herum und sprang auf. Auch der Perser kam wieder hoch. Doch jetzt hatte sich das Blatt gewendet. Er war dicht neben den schlafenden Padstow gefallen, hatte ihn vielleicht angestoßen. Mit einem wütenden Grunzen erwachte dieser. Im selben Moment sprang Kelso vor und schlug dem abgelenkten Perser den Dolch aus der Hand.

In der nächsten Minute war alles vorbei. Kelso hatte den Dolch ergriffen und dem Perser an die Kehle gesetzt. Padstow hatte sich aufgerappelt und zeigte sich, ohne daß er begriff, was eigentlich los war, willens, mit der ganzen Welt zu kämpfen. Sein Gebrüll weckte das Lager, und alsbald erschien ein Offizier mit ein paar persischen Soldaten. Ein scharfer Befehl, zwei Mann ergriffen den erfolglosen Attentäter und zerrten ihn zur anderen Seite des Lagers.

Kelso säuberte sich flüchtig von Staub und Sand; dann wandte er sich an den Offizier, der ihn neugierig musterte. »Behandeln Sie so Ihre Gäste?« fragte er.

»Exzellenz?«

»Dieser Mann wollte mich ermorden.«

»Er hat Sie in Ihrem Zelt angegriffen?«

»Das wollte er. Glücklicherweise war ich draußen.« Schon bei seinen Worten wurde ihm klar, daß diese Angabe eine Erklärung forderte, die er nicht geben konnte. Was hatte ein britischer Offizier zu dieser Stunde voll bekleidet außerhalb seines Zeltes zu suchen? Die Wahrheit konnte er nicht sagen, ohne Prinzessin Amaril zu kompromittieren; und er hatte das Gefühl, jede andere Erklärung würde seine Position nur schwächen. Also starrte er dem persischen Offizier hochmütig ins Gesicht, als erwarte er eine Erklärung von diesem.

»Darf ich fragen, Exzellenz«, begann der Offizier, »wobei Sie diesen Mann überrascht haben?«

»Er kam von der anderen Seite des Lagers. Erst als er dicht bei mir war, sah ich, daß er einen Dolch in der Hand hatte.«

»Und dann griff er Sie ohne weiteres an?«

»Er hat mich nicht gesehen. Er ging an mir vorbei und wollte gerade in mein Zelt, da faßte ich ihn.«

»So daß – ich muß gerecht sein, Exzellenz – in der Tat Sie ihn angegriffen haben, nicht umgekehrt?«

Kelso sah ihn böse an. »Nur daß ich keine Waffe und er einen stoßbereiten Dolch hatte.«

Mit einer flüchtig entschuldigenden Geste spreizte der Offizier die Hände. »Gewiß. Sie verstehen doch? Ich muß die Einzelheiten genau wissen. Ich muß ja berichten?«

»Wem?«

»Prinzessin Amaril.«

Kelso ging ins Zelt und warf sich auf seine Lagerstätte, fest entschlossen, das Wenige, was ihm von der Nacht noch blieb, zum Schlafen zu benutzen. Padstow, der sich über die seltsame Geschichte seines Kapitäns ebenso wunderte wie der Offizier, entschloß sich, vor dem Zelt Wache zu halten. Die Sonne ging eben auf, als Kelso einschlief.

Er schlief fest und fühlte sich sehr erfrischt, als er aufwachte, obwohl er an der noch geringen Helligkeit erkannte, daß er höchstens eine Stunde geschlafen haben konnte. Als er sich auf die Ellbogen stützte, sah er draußen Padstows stämmige Beine. Er hörte allerlei Bewegung im Lager, doch ein Geräusch besonders erregte seine Aufmerksamkeit und Verwunderung. Es war wie ein unaufhörlicher, schwacher Schmerzensschrei. Manchmal wurde ein lautes Aufheulen daraus, manchmal versiegte der Ton bis auf ein verzweifeltes Wimmern.

»Morgen, Sir«, grüßte Padstow, als Kelso mit Kopf und Schultern aus dem Zelteingang sah.

»Was ist da los?« fragte Kelso.

»Vorbereitungen zum Aufbruch, Sir. Ich wollte Sie gerade wecken.«

»Diesen Lärm meine ich.«

Im selben Augenblick wurde aus dem Schmerzensschrei ein schauerliches, heiseres Betteln um Gnade. »Das da!« sagte Kelso. »Erzähl mir nicht, daß du es nicht hörst.«

»Ich höre es schon«, entgegnete Padstow unschuldig, »aber ich dachte, das geht mich nichts an. Vielleicht machen sich diese ausländischen Teufel einen Spaß.«

»Wie lange dauert das schon?«

»Nicht lange, Sir. Zehn Minuten vielleicht. Aber eines weiß ich – es ist schlimmer geworden.«

Kelso schnallte sich den Säbel um und schritt durch das Lager. Die Töne kamen von dort, wo in der Nacht das Lagerfeuer gebrannt hatte. Er ging an einem kleinen Trupp von Männern vorbei, die mit Sätteln und Decken zu den Pferden strebten. Die Mitte des Lagers, wo der größte Teil der Soldaten geschlafen hatte, war jetzt verlassen.

Er schritt durch die Bäume auf eine Lichtung zu und blieb plötzlich stehen: Ein Anblick hemmte seine Schritte, der so gräßlich war wie alles, was er sich im heißesten Gefecht oder sogar in einem Alptraum vorstellen konnte.

Das Feuer, das die ganze Nacht geglimmt hatte, war neu entfacht worden. Am Abend war dort ein Schaf gebraten worden – jetzt war es ein Mann. Er hing an einem um die Handgelenke gebundenen Strick von einem Gestell aus Ästen so über dem Feuer, daß seine Füße in den glühenden Holzkohlen standen; manchmal, wenn er sich heftig wand, fachte er dadurch das Feuer an, und die Flammen leckten um seine Unterschenkel. Schmerz und Rauch schienen ihn in eine gnädige Betäubung versetzt zu haben, doch jedesmal, wenn ihm der Kopf auf die Brust sank, wurde er mit Säbelstichen wieder zu Bewußtsein gebracht. Kelso erkannte den Perser, der ihn in der Nacht hatte umbringen wollen.

Etwa zwanzig Mann standen herum und sahen der Folter zu; wie Kelso bemerkte, war auch Prinzessin Amaril dabei. Sie saß auf einem Teppich und konnte von ihrem Platz aus den Delinquenten sehen, konnte sein Stöhnen und die gnadenlosen Fragen des Vernehmenden hören. Jedesmal, wenn der Halbohnmächtige durch Säbelstiche wieder zu Bewußtsein gebracht wurde, glühten ihre Augen über dem Schleier befriedigt auf. Sie war in den Anblick der Tortur so versunken, daß sie nicht aufsah, als Kelso an ihre Seite trat.

»Prinzessin!«

Als sie seine Stimme hörte, wurden ihre Augen sanft, und er konnte in ihr die Frau wiedererkennen, mit der er eine so zärtliche Liebesnacht verbracht hatte; war das wirklich erst eine Stunde her? Sie sah zu ihm auf und senkte dann diskret die Lider. »Es tut mir leid, Kapitän«, sagte sie, »daß Sie von einem meiner Leute angegriffen wurden.«

»Ist das der Mann?«

»Mein Leutnant wird schon herausbekommen, warum er Sie zu töten versuchte.«

»Müssen wir das unbedingt wissen?«

»Dieser Mann ist ein einfacher Diener. Er kann von sich aus keinen Grund gehabt haben, Sie umzubringen – es muß ihn jemand dafür bezahlt haben.«

Kelso blickte auf den Baumelnden. Dessen Stöhnen wurde jetzt schwächer, der Mann mit dem Säbel mußte kräftig zustoßen, um ihm einen Schrei zu entlocken, der erkennen ließ, daß er bei Bewußtsein war.

»Frag ihn jetzt«, forderte die Prinzessin, »wer ihm den Auftrag gegeben hat.«

Sofort stellte der Leutnant die Frage in der Landessprache, aber der Mann war schon wieder in Ohnmacht gesunken.

»Noch einmal!« rief die Prinzessin. »Laß ihn nicht sterben, bevor er eine Antwort gegeben hat!«

Wieder und wieder stach der Leutnant mit dem Säbel zu, doch der Mann war über die Schmerzschwelle hinaus.

»Er wird sicherlich sterben, wenn ihr so weitermacht«, sagte Kelso.

Unentschlossen sah die Prinzessin ihn an, dann wandte sie sich widerwillig an ihren Leutnant. »Bindet ihn los!« befahl sie.

Ein Soldat schnitt den Unglücklichen los und warf ihn neben dem Feuer in den Sand. Seine Beine waren scheußlich verbrannt und seine Füße fast bis zur Unkenntlichkeit verkohlt.

Der Leutnant kniete sich hin und hielt das Ohr an die Brust des Gefolterten. »Er lebt noch, Prinzessin.«

»Holt Wasser.«

»Lassen Sie ihn lieber töten«, sagte Kelso, »es wäre nicht barmherzig, ihn noch einmal ins Leben zurückzubringen.«

»Barmherzig?« Überrascht starrte sie ihn an. »Er soll doch nur am Leben bleiben, damit er redet.«

In diesem Moment wurden sie von de Rocheville unterbrochen, der mit seinem Diener herzutrat. Der Franzose machte der Prinzessin eine tiefe Verbeugung und nahm, als er wieder hochkam, Kelsos Anwesenheit durch ein flüchtiges Nicken zur Kenntnis. Er schien überhaupt nicht zu bemerken, was vorging.

»Hoheit, ich bin bereit zum Aufbruch, sobald Sie befehlen.«

»Ein Weilchen noch, Kapitän. Leider haben wir noch etwas Wichtiges zu erledigen.«

De Rocheville starrte auf diesen gefolterten Rest eines Menschen und sah sekundenlang aus, als müsse er sich erbrechen. Doch er nahm sich rechtzeitig zusammen, wandte sich ab und sagte: »Ich erwarte Ihren Befehl, *madame*.«

Kelso trat neben ihn und fragte: »Hatten Sie eine gute Nacht, *mon capitaine*?«

De Rocheville musterte ihn kalt. »Danke. Ich habe gut geschlafen. Sehr verbunden für Ihre Anteilnahme.«

»Keine Störungen?«

»Ich sagte Ihnen doch schon, daß ich gut geschlafen habe.«

Kelso sah ihn daraufhin nur wortlos an, und es trat eine ungemütliche Stille ein; dann fragte de Rocheville ärgerlich: »Was war der Sinn Ihrer Frage, Kelso? Ich kann mir nicht vorstellen, daß es Sie tatsächlich interessiert, wie ich geschlafen habe.«

»In dieser Nacht«, erläuterte Kelso, »wurde der Versuch gemacht, mich umzubringen. Es gab einen Kampf und erheblichen Lärm. Doch Sie haben nichts gehört?«

»Nichts. Warum sollte ich?«

»Weil Ihr Zelt nicht weit von meinem stand und fast jeder im Lager aufgestört wurde.«

De Rocheville zuckte die Achseln. »Ich habe nichts gehört.«

»Und Ihr Diener?«

»Auch nichts.«

»Franzosen haben einen guten Schlaf. Ich hoffe, das ist ein Zeichen für ein gutes Gewissen.«

Bevor de Rocheville eine passende Antwort einfiel, wurden sie durch einen herzzerreißenden Schrei aufgeschreckt. Der Leutnant hatte einen Eimer Wasser über den Gefolterten geschüttet und trat ihm jetzt brutal auf die verbrannten Beine.

»Genug«, sagte die Prinzessin, als der Unselige zu neuen Qualen erwacht war. »Frag ihn jetzt zum letztenmal, wer ihn bezahlt hat, um unseren Gast zu töten.«

Dringend, fast bittend wiederholte der Leutnant die Frage. Doch offensichtlich war es vergebens. Nach einem Weilchen sagte der Leutnant: »Es hat keinen Zweck. Er kann nicht antworten.«

»Kann nicht«, rief die Prinzessin, »oder will nicht? Bindet ihn wieder an, hängt ihn ins Feuer! Vielleicht kann er dann besser sprechen.«

Der Sterbende wurde hochgezerrt. Er schrie etwas zur Prinzessin hinüber, während man ihn zum Feuer schleppte. In wilder Angst schrie er immer wieder dieselben Worte.

»Halt!« rief die Prinzessin triumphierend. »Jetzt wird er reden, denke ich. Frag ihn nochmals. Wer hat ihn bezahlt, damit er mordet?«

Der Leutnant stellte die Frage in der Landessprache. Der Mann hob den Kopf und versuchte, einige Worte herauszubringen. Doch bevor er sich verständlich machen konnte, ertönte ein scharfer Knall, und ohne zu begreifen, was geschehen war, sahen sie den gemarterten Körper vornüber ins Feuer fallen.

18

Capitaine de Rocheville stand regungslos, die rauchende Pistole in der Hand, grau im Gesicht. Er starrte auf den Toten, und sekundenlang schien er nicht zu begreifen, was er getan hatte. »*Pardon, Madame*... Unverzeihliche Einmischung... Mußte einfach den armen Teufel von seinen Leiden erlösen...« murmelte er mit einer unsicheren Verbeugung.

Die Prinzessin war wütend. Hochaufgerichtet, die Hände im Schoß verkrampft, saß sie auf ihrem Teppich und starrte den unglücklichen de Rocheville an. Im nächsten Moment, dachte Kelso, würde sie

Befehl geben, ihn festzunehmen. Doch dann warf sie, als sei sie ihrer Sache nicht sicher, einen raschen Blick auf Kelso.

»Bedauerlich, *capitaine*, daß Sie einen so schwachen Magen haben«, sagte Kelso. »Doch handelten Sie wenigstens in guter Absicht.«

Überrascht sah de Rocheville ihn an und sagte mit einem Anflug von Dankbarkeit: »Sehr verbunden.«

»Auf jeden Fall war der Kerl bereits so gut wie tot«, fuhr Kelso fort, »viel zu weit hinüber, um uns etwas Brauchbares zu verraten.« Er blickte die Prinzessin bedeutsam an, um ihr klarzumachen, daß sie schweigen solle, und zu seiner Überraschung gehorchte sie tatsächlich.

Sie erhob sich. »Wir haben genug Zeit versäumt«, sagte sie. »Wenn die Herren reisefertig sind, wollen wir sofort aufbrechen.« Unverzüglich saß die Kolonne auf, und die Vorreiter galoppierten aus dem Schatten der Bäume in die gnadenlose Sonne hinaus.

Sie ritten den ganzen Vormittag durch ein Gelände, das immer kahler wurde, doch gegen Mittag kamen sie an eine ummauerte Stadt, in der sie während der heißesten Stunden des Tages Rast machten. Die Prinzessin hielt sich zurück wie am Vortag, und Kelso fragte sich, ob sie ihm wohl böse war, weil er de Rocheville geholfen hatte.

Erst am Spätnachmittag ritten sie weiter, und gleich hinter der Stadt wurde der Weg leichter, da er gleichmäßig bergab führte. Jetzt gab es auch ab und zu eine Kaktushecke und Flecken harten Grases. Immer noch bergab ritten sie durch Dörfer aus Lehmhütten, mit Getreidefeldern dahinter. Olivenbäume säumten den Weg; Kinder trieben Schaf- und Ziegenherden über die dürren Grasflächen.

Erst als sie den Grat eines Hügels erreicht hatten, kam der See in Sicht. Er erstreckte sich so weit das Auge reichte, von den Olivenhainen zur Linken bis zu den verstreuten Feldern und Dörfern zur Rechten. Am Ende dieses harten Tages blinkte sein Spiegel unerhört blau und einladend in der Sonne. In Ufernähe sprenkelten die weißen Segel von Fischerbooten die Wasserfläche, doch weiter draußen war sie saphirblau und makellos.

»*C'est magnifique*«», murmelte de Rocheville und parierte sein Pferd. Seit dem Vorfall am Morgen war er merkbar freundlicher geworden, und es war klar, daß er sich entschlossen hatte, Kelso wenigstens vorläufig als Verbündeten zu behandeln.

»Wie weit ist es noch bis Schiras?« fragte Kelso.

»Mindestens noch einen Tagesritt. Wir werden hier über Nacht bleiben.« Auf Kelsos fragenden Blick erläuterte er: »Hier ist der gebräuchliche Halt auf der Strecke von Buschir nach Schiras.«

»Woher wissen Sie das?«

De Rocheville lächelte. »Meine Regierung verfügt über einen ausgezeichneten Nachrichtendienst. Ich bin nicht uninformiert hergekommen - wie das vermutlich bei Ihnen der Fall war.«

»Ich gratuliere Ihnen zu Ihren Kenntnissen.«

»Danke.«

»Eines wüßte ich allerdings gern.«

»Ja?«

»Wie ist die Lage in Persien wirklich?«

»Ich verstehe nicht«, antwortete de Rocheville mit einem mißtrauischen Blick.

»Ich habe gehört, das Land sei vom Bürgerkrieg zerrissen. In Ormuz habe ich erfahren, daß erst kürzlich schwere Kämpfe stattgefunden haben. Es heißt, daß sogar Buschir von Rebellen eingenommen worden ist.«

»Das war unkorrekt.«

»Aber es hat Kämpfe gegeben, eine Rebellion?«

»O ja.«

»Von Seiten eines der Stämme?«

»Vom Nordosten, aus dem Gebiet der unabhängigen Provinz Khurasan, hat eine Armee einen Schlag nach Westen, in Richtung Basra, geführt.«

»Und dann?«

»Wandte sie sich südwärts, längs der Küste.«

»Gegen Buschir?«

»In der Hoffnung, Buschir zu erreichen.«

Kelso beobachtete ihn genau. »Aber sie schafften es nicht?«

Er bemerkte ein kurzes, ärgerliches Aufblitzen in den Augen des Franzosen. »Sie schafften es nicht«, bestätigte er.

Kelso schien das Thema fallenlassen zu wollen, und eine Zeitlang ritten sie schweigend weiter durch Olivenhaine auf den fernen See zu. Sie hatten bereits die Ebene erreicht, wo der Weg durch die schattigen Bögen der Bäume führte, da fing Kelso wieder an: »Ich kann nicht begreifen, warum sie aus dieser Richtung kamen.«

Verwundert blickte de Rocheville ihn an.

»Warum operierten sie nach Westen?«

De Rocheville antwortete: »Vermutlich wollten sie Basra erreichen.«

»Und damit ottomanische Unterstützung?«

»Die Ottomanen sind zu klug, um sich offen einzumischen. Sie konnten natürlich, sagen wir mal, wohlwollende Neutralität bekunden.«

»In der Hoffnung, daß Schahrukh gewinnt?«

»Schahrukh? So wissen Sie also doch von der Sache?«

»Ich weiß«, erwiderte Kelso leichthin, »daß Schahrukh der Herrscher von Khurasan ist.« Schweigend ritt er weiter und fürchtete schon, zuviel gesagt zu haben; doch de Rocheville schien nicht nur beruhigt zu sein, sondern ihm lag offenbar sogar daran, über die Angelegenheit zu sprechen. »Den Ottomanen wäre Schahrukh lieber«, sagte er, »denn er ist ein Herrscher, den sie verstehen können.«

»Karim Khan verstehen sie nicht?«

De Rocheville hob die Schultern. »Karim Khan ist ein Mann, der seiner Zeit voraus ist.«

»Ich habe gehört, er sei liberal.«

»Er ist liberal, intelligent und human – lauter Tugenden, die bei dem Herrscher eines orientalischen Staates am wenigsten wünschenswert sind.«

»Aber Sie beabsichtigen, einen Vertrag mit ihm zu schließen?« fragte Kelso direkt.

Obwohl die Frage ihm offensichtlich unangenehm war, brachte de Rocheville ein typisch gallisches Achselzucken zustande.

»Teilen die Ottomanen Ihre Ansicht?« bohrte Kelso weiter.

»Ich nehme an, sie hätten es lieber mit einem starken Herrscher zu tun. Aber genau wie ich müssen sie sich an den Mann halten, der an der Macht ist.«

»Soviel ich weiß«, erwiderte Kelso unschuldig, »sind Sie doch extra gekommen, um einen Vertrag mit Karim Khan zu schließen.«

Jetzt erst schien de Rocheville zu merken, daß er vorsichtiger sein mußte. »Ich bin gekommen, um einen Vertrag mit dem Schah von Persien abzuschließen, und das ist Karim Khan.«

»Aber wenn die Revolte erfolgreich gewesen wäre –«

»Sie war nicht erfolgreich«, entgegnete de Rocheville und gab seinem Pferd die Sporen zum Zeichen, daß die Unterhaltung beendet war.

Es war noch hell, als sie auf den Uferwiesen am See ihr Lager aufschlugen. Jenseits der Bäume glitzerte das Sonnenlicht so auf dem unbewegten Wasser, daß es die Augen blendete, doch hier im Schatten war es kühl. Die Truppe war in besserer Stimmung als am Vorabend. Die Perser scherzten miteinander und sangen beim Holzschneiden und Wasserholen. Zelte wurden aufgeschlagen, Hammel geschlachtet, und bald stieg der appetitlichc Duft gebratenen Fleisches in die Nasen der hungrigen Männer.

Wie am vorigen Abend aß Kelso allein. Das Zelt der Prinzessin stand auf einer ruhigen Lichtung abseits des eigentlichen Lagers; doch sie hatte ihn nicht wissen lassen, daß sie ihn zu sprechen wünsche.

Kelso bedauerte das keineswegs, wenn er auch hinsichtlich ihrer Gefühle für ihn etwas unsicher war. Ihm lag daran, de Rocheville unauffällig beobachten zu können, der in einer Entfernung von knapp hundert Metern ebenfalls allein vor seinem Zelt saß und aß. Der Franzose kaute an einer Hammelkeule, trank häufig aus einer Flasche Wein, die ihm sein Diener gebracht hatte, und schien sehr nachdenklich zu sein. Beschäftigte ihn das bevorstehende Zusammentreffen mit Karim Khan? Nach der Unterhaltung vom Nachmittag war Kelso mehr denn je davon überzeugt, daß de Rocheville ein doppeltes Spiel trieb. Offensichtlich hätte er vorgezogen – und dabei mußte er sich nach seiner Regierung richten –, einen Vertrag mit dem brutalen und primitiven Schahruch abzuschließen. War es unvernünftig anzunehmen, daß Frankreich bereit gewesen war, Schahruch bei der Eroberung der Macht Flottenhilfe zu gewähren? Die Schwierigkeit war nur, das zu beweisen. Scheinbar sorglos ins üppige Gras gelagert, beobachtete Kelso jede Bewegung de Rochevilles. Er hatte das Gefühl, daß dieser einen Komplizen irgendwo im Lager haben mußte. Er sah den französischen Bedienten, den persischen Pferdeburschen, den ihm die Prinzessin zugeteilt hatte, die Soldaten, die ihm sein Zelt aufgeschlagen hatten. Doch de Rocheville schien sich um keinen von ihnen zu kümmern. Er saß mit krummem Rücken da und starrte nachdenklich auf den See. Die Dämmerung fiel ein, und ein paar Minuten später war es auch schon dunkel. De Rocheville zog sich in sein Zelt zurück.

Kelso stand auf und rief nach Padstow, der bereits halb schlafend im hohen Gras lag. Müde blinzelnd und die steifen Glieder streckend erhob er sich. »Komme schon, Sir.«

»Schlaf nicht!« sagte Kelso scharf. »Es gibt noch zu tun.«

Padstow nickte trübe. »Ja, Sir?«

»Du bleibst hier neben dem Zelt und tust so, als ob du meine Sachen in Ordnung bringst.«

»Verdammt wenig Sachen, die man in Ordnung bringen kann«, bemerkte Padstow. »Aber ich werde mein Bestes tun, Sir.«

»Du sollst ein Auge auf das andere Zelt haben, auf de Rocheville.«

»Soll ich mich vielleicht mit ihm so befassen«, fragte Padstow hoffnungsvoll, »wie man sich gestern nacht mit Ihnen befassen wollte, Sir?«

»Du sollst nur ein Auge auf ihn haben«, wehrte Kelso ab, »und sehen, ob er in seinem Zelt bleibt. Und was noch wichtiger ist – ob jemand zu ihm hineingeht.«

»Aye, aye, Sir. Gehen Sie noch weg, Sir?«

»Ich gehe nur mal ein bißchen durch das Lager.« Kelso ignorierte das wissende Grinsen seines Stewards und schritt direkt zum Zelt der Prinzessin. Die persischen Soldaten, die auf dem Boden lagen und sich leise unterhielten, sahen ihn vorbeikommen, schienen sich aber nicht zu wundern. Einige schliefen bereits.

Inzwischen hatte Kelso den Rand der Lichtung erreicht und sah das Zelt der Prinzessin. Sein Puls schlug schneller. Alles war still. Soweit er erkennen konnte, brannte nicht einmal Licht im Zelt. Er hoffte verzweifelt, daß die Prinzessin noch wach war.

Er trat auf die dämmrige Lichtung hinaus und erwartete jede Sekunde den Anruf des wachsamen Ibrahim. Doch es war niemand da. In den nahen Gräben quakten Ochsenfrösche ihren endlosen Chor; eine Nachtigall probierte ihr erstes Lied. Doch in der Lichtung selbst blieb alles still.

19

Er hatte die Lichtung schon zur Hälfte durchschritten, da rief jemand: »Master!« Er erkannte Ibrahims Stimme und sah die herkulische Gestalt vor dem bleichen Schimmer des Sees. »Hier, Master!«

Kelso dachte, die Prinzessin schliefe schon, und Ibrahim rufe ihn weg von ihrem Zelt, damit sie nicht gestört würde; doch beim Näherkommen sah er, daß der Nubier auf eine Baumreihe deutete, die sich bis zum Rand des Sees hinunterzog.

»Die Prinzessin?«

»Hier, Master, hier!«

Sie erwartete ihn also. Ibrahim hätte niemandem gestattet, sich der Prinzessin ohne ihre Erlaubnis zu nähern.

Er schritt über das Gras dorthin, wo die Baumreihe auf einen Streifen sandigen Ufers stieß. Dahinter lag eine kleine, verborgene Bucht. Die Bäume und das Gras wuchs parallel zum Ufer. Er begriff sofort, daß er an dieser Stelle selbst bei Tageslicht nicht zu sehen gewesen wäre. Sein Puls ging schneller bei dem Gedanken, daß sich

125

die Prinzessin hier mit ihm treffen wollte. Er blieb stehen und spähte durch die Dunkelheit nach ihr aus, doch konnte er nichts erkennen. Leise rief er: »Prinzessin?«

Unerwarteterweise hörte er hinter sich eine Stimme, eine Stimme voll Freude und Liebe: »Du bist also doch gekommen!«

Er ging zum Ufer hinunter und sah sie bis zur Taille im Wasser stehen. Sie war nackt, und ihre schmalen Arme sahen noch kindlicher aus als in der letzten Nacht. »Ich habe gehofft, daß du kommst«, sagte sie leise.

»Ich wollte mit dir sprechen«, erwiderte er. »Über de Rocheville.«

»Und sonst nichts?«

Verlegen trat er von einem Fuß auf den anderen. »Und über den Vertrag mit deinem Vater.«

Da lachte sie hell, kreuzte die Arme über den Brüsten und warf den Kopf zurück, so daß er das Wasser auf ihrem Gesicht glitzern sah. »Nicht etwa, weil du mich lieben willst?«

Er wurde schrecklich verlegen, und da sie nicht aufhörte zu lachen, wandte er ihr den Rücken zu und zog seinen Uniformrock aus. Er warf die Kleidungsstücke zur Erde, und nachdem er noch seinen Säbel unter Gras und Laub verborgen hatte, sprang er zu ihr ins Wasser.

Sie stürzte sich in seine Arme, preßte sich an ihn und legte den Kopf an seine Brust. Er küßte ihre nassen Lippen und hörte sie selig aufseufzen: »Ich bin so froh, daß du gekommen bist – so froh!« sagte sie.

Später lagen sie Seite an Seite im Gras. Ihr Haupt ruhte an seiner Schulter, und sie blickten hinauf in die silbrige Pracht des Nachthimmels. Millionen Sterne funkelten dort oben wie Diamantenstickerei auf dem schwarzen Festkleid des Himmels. Sogar die Ochsenfrösche quakten leiser, statt ihrer stimmte die Nachtigall ihr Lied an.

»Wie heißt du eigentlich?« fragte sie leise.

»Kelso – Roger Kelso.«

Sie nahm seine Worte ernst. »Ist das dein ganzer Name?«

Vage erinnerte er sich daran, daß seine schottischen Pateneltern ihm noch die Vornamen Alexander Charles verliehen hatten, antwortete aber: »Alle nennen mich einfach Kelso.«

Sie spielte mit dem Namen: »Kelso – Roger Kelso«, wiederholte sie, bis der Name neue Würde, neuen Reiz gewann. »Kelso... Ich liebe den Namen«, sagte sie, »weil er zu dir gehört.«

»Als Ibrahim auf mein Schiff kam und mir sagte, dort unten sei seine Herrin, Prinzessin Amaril, da dachte ich – also, da dachte ich –«

»Was für ein komischer Name für eine Prinzessin?«

»Nein. Er gefiel mir. Er klang gerade richtig für eine Prinzessin.« Sie lachte. »Weil du unsere Sprache nicht kennst. Amaril ist ein Männername.«

»Ein Männername!«

»Mein Vater wollte einen Sohn. Ich wurde schon lange vor meiner Geburt Amaril genannt. Es war ein unglücklicher Zufall, daß ich als Mädchen auf die Welt kam.«

»Unglücklicher Zufall? Nicht für mich.« Er nahm sie in die Arme und zog sie an sich. Er hatte es nur als eine Geste der Zuneigung gedacht, doch sie reagierte so heftig, daß rasch eine leidenschaftliche Umarmung daraus wurde.

Danach lagen sie ausruhend, lauschten auf die Geräusche der Nacht, das Rascheln im Unterholz, das sanfte Plätschern des Sees und, von sehr weit her, das Sprechen und Lachen im Lager. Kelso empfand einen inneren Frieden wie sonst nur auf See. Unbestimmt wußte er, daß Amaril ihn ansah, ihm den Kopf zuwandte und ihn mit den Augen der Liebe betrachtete. Federleicht berührten ihre Finger sein Gesicht, zeichneten die Linie seines Kinns nach.

In sein Schweigen hinein fragte sie zärtlich spottend »Du wolltest mich wegen de Rocheville sprechen?«

Doch er antwortete in vollem Ernst »Ja. Ich habe ihn heute nachmittag über die Lage in Persien ausgehorcht. Er weiß alles – alles, was du mir gesagt hast, und noch mehr.«

»Hat er Schahrukh erwähnt?«

»Das hat er, und zwar sprach er sehr positiv von ihm. Ich bin mehr denn je davon überzeugt, daß er mit der Absicht herkam, Schahrukh zur Macht zu verhelfen.«

»Schahrukh kommt nie an die Macht.«

»Beinahe war es schon soweit«, erinnerte er sie. »Es wäre geschehen, wenn de Rocheville sein Schiff rechtzeitig hergebracht hätte.«

Sie umschlang ihn liebevoll. »Doch das hat er nicht – weil mein Kelso, mein tapferer Kapitän Kelso, zur Stelle war und mit ihm kämpfte.«

Kelso nahm sie in den Arm, doch seine Gedanken waren anderswo. »Was wir brauchen, um deinen Vater zu überzeugen, sind Beweise, und die werden wir wohl erst bekommen, wenn wir wissen, wer der Agent am Hofe deines Vaters ist.«

»Du glaubst wirklich, daß es einen Agenten gibt?«

»Ich bin fest davon überzeugt.«

»Dann wird der Franzose uns sicherlich zu ihm führen, wenn wir in Schiras sind.«

»Ja, aber auch rechtzeitig?«

»Rechtzeitig?«

»Um den Abschluß des Vertrages mit Frankreich zu verhindern.«

»Es muß dir wirklich sehr viel daran liegen, diesen Vertrag zu bekommen«, sagte sie nach kurzem Schweigen.

»Ja. Für die Company.«

»Nicht für England?«

Ihre Worte machten ihn ein wenig unsicher; sie waren wie ein Steinchen, das einen glatten Wasserspiegel kräuselt. »Die Company ist England«, erwiderte er, »wenigstens in diesem Teil der Welt.«

Sie schwieg einen Moment und sagte dann: »Würde es dir viel bedeuten, diesen Vertrag zustandezubringen?«

»Für England würde es viel bedeuten, nicht nur wegen der guten Aussichten für unseren Handel, sondern auch indirekt, weil unsere Feinde uns dann keine Konkurrenz machen könnten.«

»Und für dich persönlich?«

Er wandte ihr den Kopf zu, weil er nicht genau verstand, was sie meinte.

»Bedeutete es mehr Ehre für dich«, erläuterte sie, »eine Beförderung?«

»Ich weiß nicht«, erwiderte er aufrichtig, »darüber habe ich nicht nachgedacht.«

»Aber darüber, daß ich eine gute Bundesgenossin wäre, wenn es gilt, meinen Vater zu überreden?«

»Das ist mir wohl in den Sinn gekommen«, gestand er.

»Und so hast du mich ...«

Er blickte sie an und sah Tränen der Enttäuschung in ihren Augen. Halb ärgerlich erwiderte er: »Das tat ich, weil ...« Doch dann wurde ihm klar, daß jetzt Tun besser war als Reden; er zog sie an sich und zerstreute ihren Verdacht mit seinen Küssen. Er spürte, wie sie sich entspannte, und wartete ungeduldig darauf, ihr seine Motive erklären zu können. Endlich gab sie ihm dazu Gelegenheit.

»Als ich heute früh hörte, daß jemand dich zu ermorden versucht hat, einer meiner eigenen Leute, da wußte ich – zum erstenmal, glaube ich –, wie sehr ich dich wirklich liebe.«

»Darüber habe ich den ganzen Tag nachgedacht«, erwiderte er. »Es ist schade, daß wir nicht herausbekommen haben, warum er mich umbringen wollte.«

128

Sie lag in seiner Armbeuge und blickte mit etwas zweideutigem Lächeln zu ihm auf; schließlich ging sie auf seine Stimmung ein und sagte: »Vielleicht, wenn de Rocheville ihn nicht erschossen hätte –«

»Und das gerade im passenden Moment!«

Ernsthaft dachte sie über diesen Punkt nach, offenbar zum erstenmal. »Du meinst, de Rocheville hatte etwas mit dem Überfall zu tun?«

»Ist dir dieser Gedanke noch nicht gekommen?«

»Nein. Ich habe nicht daran gedacht, daß –«

»Der Mann war ein Diener, den du de Rocheville zugeteilt hast?«

»Das stimmt. Einer der beiden, die ich abgestellt hatte, damit sie de Rochevilles Steward helfen.«

»Ist es nicht merkwürdig, daß ein Diener, der mich vor zwei Tagen zum erstenmal gesehen hat, ein Mann, mit dem ich nie gesprochen habe, mich auf einmal umbringen wollte?«

»Ja.«

»Ist es nicht merkwürdig, daß de Rocheville von all dem Lärm nach dem Überfall nichts gehört haben will, obwohl es bis zu ihm keine hundert Meter waren?«

»Ich habe es bis zum anderen Ende des Lagers gehört«, bestätigte sie. »Und meine Leibwache auch.«

»Dein Leutnant war in wenigen Minuten an Ort und Stelle.«

»Und de Rocheville will nichts gehört haben!« Sie schwieg einen Moment, und dann spürte er, daß der Zorn ihre Muskeln spannte. Sie stützte sich auf den Ellbogen und rief: »Wenn de Rocheville dahintersteckt, lasse ich ihn hinrichten. Ich übergebe ihn Ibrahim. Dann wird es ihm bitter leid tun, daß er den Mann töten wollte, den ich liebe!« Sie kniete jetzt neben Kelso. »Ich lasse ihn sofort gefangennehmen.«

Er hielt sie bei den Schultern fest. »Wir haben keine Beweise«, erinnerte er.

»Was du mir gesagt hast, ist Beweis genug.«

»Nein. Du kannst einen Mann nicht auf bloßen Verdacht hin töten lassen.«

»Dann werden wir uns Beweise verschaffen. Ibrahim bringt das schon fertig.«

Kelso schüttelte den Kopf. »Durch Folter? Dabei kann ein Mann, auch ein tapferer Mann, alles Mögliche gestehen.«

»Zumindest lasse ich ihn festnehmen«, rief sie aus. »Er darf nicht frei sein, um wieder eine Verschwörung gegen dich anzuzetteln!«

»Er muß aber frei sein, verstehst du nicht? Er muß frei sein und gegen mich intrigieren können. Morgen sind wir in Schiras. Wir

werden mit deinem Vater zusammenkommen. Wenn wir de Rocheville ganz natürlich behandeln, wird er sich immer noch sicher fühlen.
Wenn wir Glück haben, wird er uns zu dem Verräter am Hof führen.«

Sie entspannte sich und gab nach. »Du hast natürlich recht. Und du
bist klug.« Sie nahm seinen Kopf in die Hände und küßte ihn. »Mein
Kelso. Ich liebe dich sehr.«

20

Am Nachmittag des nächsten Tages ritten sie in Schiras ein. Dort
wußte man offenbar, daß sie eintreffen würden, denn schon ein ganzes
Stück vor der Stadt kam ihnen ein Zug Kavallerie entgegen. Die
Prinzessin ließ ihre Kolonne halten und eilte mit Ibrahim voraus, um
den Anführer der Reiterei zu begrüßen, einen gutaussehenden,
prächtig in königliches Blau gekleideten jungen Mann. Etwas mißge-
stimmt sah Kelso, daß sie sich umarmten, miteinander sprachen und
lachten, während die beiden Abteilungen schwitzend und staubig
warteten. Als die beiden sich endlich wieder in Bewegung setzten, zog
die Prinzessin mit dem Jüngling in die weitläufige Haupststraße ein,
vorbei an Bazaren, Moscheen und prächtigen neuen Gebäuden, bis sie
schließlich auf dem kühlen Innenhof des Palastes Halt machten. Dort
stieg sie aus ihrer Sänfte und ging raschen Schrittes durch ein Tor in
den Palast. Kelso und de Rocheville blieben allein.

Doch nicht lange. Wenige Minuten später kam der junge Mann
zurück und trat mit höchst liebenswürdigem Lächeln zu ihnen. »Ich
bitte vielmals um Entschuldigung«, sagte er mit dem gleichen fremd-
artigen Akzent, der bei der Prinzessin so anziehend wirkte. »Es war
unverzeihlich von mir, daß ich mich so wenig um meine Gäste
gekümmert habe, doch ich hatte Pflichten meiner Schwester gegenüber.«

»Ihrer Schwester!«

»Gewiß. Prinzessin Amaril ist meine Schwester – meine Stiefschwester.« Er bemerkte Kelsos Überraschung und fuhr eilig fort: »Doch
Sie hatten natürlich kaum Gelegenheit, mit ihr zu sprechen.« Wieder
lächelte er.« »Ich fürchte, Sie werden unsere Gebräuche fremdartig
finden – im Vergleich zu den freien Sitten in Ihren westlichen
Städten.«

»Nun…«

»Oh, mißverstehen Sie mich bitte nicht. Ich war in Paris und

London. Ich weiß, wie unbefangen Männer und Frauen in Gesellschaft miteinander verkehren. Hier ist das anders. Wir leben nach dem Gesetz des Propheten. Eine Frau gehört in die Abgeschlossenheit. Sie kommt nicht mit Fremden zusammen. Ich bedaure, aber das ist nun einmal Sitte bei uns.«

Kelsos Miene blieb unverändert, doch es entging ihm nicht, daß de Rocheville ihn mit grimmigem Lächeln von der Seite ansah.

»Vielleicht sollten wir uns vorstellen«, sagte Kelso. »Dies ist Kapitän de Rocheville von der *Lyon*.«

»Von der *Lyon*?«

»Ein französisches Kriegsschiff.«

»O ja.« Er verbeugte sich höflich. »Es ist mir eine Ehre, Sie kennenzulernen, Kapitän.«

»Und mein Name ist Kelso.«

Mit plötzlich aufflammendem Interesse blickte der junge Mann ihn an. »Kelso von der *Paragon*?«

»Jawohl.«

»Da sehen Sie, Kelso, wie berühmt Sie sind«, sagte de Rocheville mit kaum verborgenem Hohn.

»Darf ich fragen«, erkundigte sich Kelso betont beiläufig, »woher Sie meinen Namen kennen – hier in Schiras?«

Lächelnd erwiderte der Prinz: »Wir sind nicht so uninformiert, wie Sie glauben mögen. Schiffe kommen nach Ormuz und Buschir, unsere Kaufleute treiben Handel bis nach Indien hinein. Wir haben natürlich von Plassey gehört und von den Kämpfen in Bengalen.«

»Das sind alte Geschichten«, erwiderte Kelso. »In Bengalen herrscht Friede. Ganz Indien ist fest in unserer Hand.«

»Das stimmt nicht«, warf de Rocheville ein. »Frankreich wird Ihnen nie gestatten, die Länder zu behalten, die Sie durch Lug und Trug gewonnen haben.«

»Auch durch Kampf«, verbesserte Kelso freundlich. »Wir haben Ihre Armee einmal geschlagen. Das können wir auch zum zweitenmal.«

De Rocheville kochte vor Wut. »Sie – Sie Engländer!« schrie er, als wäre es das schlimmste Schimpfwort, das er sich ausdenken konnte, »Wenn Prinz Hafis nicht hier wäre...«

»Ich bin aber hier«, sagte der Prinz. »Und jetzt, bevor Sie aufeinander losgehen, darf ich Sie ersuchen, mich zu meinem Vater zu begleiten.« Spitzbübisch lächelnd wandte er sich ab und schritt ihnen voraus über den Schloßhof zu einem Laubengang, der die eine Seite eines ummauerten Gartens bildete. Kelso, der den Prinzen eingeholt hatte und neben ihm ging, während de Rocheville beleidigt den Schluß machte, spürte auf seiner Haut den Sprühnebel von einem Dutzend Springbrunnen und roch den Duft von Zypressen und Pinien. An der Mauer, wo der feuchte Dunst der Fontänen am stärksten war, blühten farbenprächtige Blumen und dickblättrige Aloë.

»Unsere Gärten gefallen Ihnen?« fragte der Prinz, aber es war mehr eine Feststellung als eine Frage.

»Sie sind wunderschön.«

»Der *vakil* hat in Schiras mehrere Gärten anlegen lassen. Die schönen neuen Gebäude, die Sie an der Stadtgrenze gesehen haben, wurden ebenfalls auf seinen Befehl hin errichtet. Schiras wird bald die prächtigste Stadt Persiens sein.«

»Ein Denkmal, wie es einem großen Herrscher gebührt«, sagte de Rocheville, der sie an der großen Treppe zum Palast eingeholt hatte. Offenbar hatte er sich entschlossen, seine üble Laune zu vergessen.

»Der *vakil*?« fragte Kelso. »Das ist der Schah – Karim Khan?«

»Ja.« Der Prinz sah ihn überrascht an.

»Ihr Vater.«

»Mein Stiefvater.«

»Und Prinzessin Amaril?«

»Ist meine Stiefschwester.«

Kelso nickte; er hatte das Gefühl, es könne irgendwie wichtig sein, diese Verwandtschaftsverhältnisse klar im Kopf zu haben. »Und die Mutter der Prinzessin?«

»Ist tot.«

Sie kamen durch einen prachtvollen Thronsaal, doch der Schah empfing sie nicht dort, sondern sehr freundlich und ohne Förmlichkeiten in einem Empfangsraum im rückwärtigen Teil des Palastes. Als Kelso sich vor ihm verneigte, war sein erster Gedanke: der sieht aber gar nicht wie ein Schah aus.

Er war klein und ziemlich dick, hatte ein rotes Gesicht und sprach mit betonter Herzlichkeit. Er wirkte eher wie ein beflissener Ladeninhaber als wie der Schah von Persien. Konnte dieser Mann Amarils Vater sein? fragte sich Kelso bei seinem Anblick. Doch dann nahm er sie bei den Händen und führte sie zu den Sitzkissen, und dabei ging eine Ausstrahlung echter, einfacher Herzensgüte von ihm aus. Als er jedoch gleich darauf einen Diener zurechtwies, der die Kissen nicht so plaziert hatte, wie de Rocheville es haben wollte, war an seinem Tonfall deutlich zu hören, daß er auch ein strenger Herr sein konnte.

»Und nun«, sagte er, als er sah, daß seine Gäste bequem saßen, »eine kleine Erfrischung. Sie müssen mir alles erzählen, was in der großen Welt außerhalb Persiens vor sich geht.«

»Und über die Angelegenheit, die uns hergeführt hat«, schlug Kelso vor.

Der Schah spreizte die Hände. »Morgen vielleicht oder übermorgen.«

»Es wäre besser, wenn wir es jetzt täten«, beharrte Kelso

Eine kleine ärgerliche Wolke erschien auf dem Antlitz des Schah, doch sie verzog sich, und bald brach sein strahlendes Lächeln wieder hervor. »Gut – wenn es so wichtig ist«, sagte er, winkte einen Diener heran und gab einen kurzen Befehl. »Ich lasse meinen Wesir holen«, erklärte er, als der Mann hinauseilte, »ich habe es mir zur Regel gemacht, nie über Regierungsgeschäfte zu sprechen, ohne daß der Wesir oder ein anderer Ratgeber dabei ist. Besonders bei Emissären aus dem Westen«, fügte er hinzu.

»Ihr Wesir ist Experte in westlichen Angelegenheiten?« fragte de Rocheville höflich.

»Kein Experte. Wie kann jemand Experte sein in einem Lande, das wie das unsere durch Tausende von Meilen, durch Meere und Wüsten, von der übrigen Welt abgeschnitten ist? Ich meinte nur, daß ich aus Erfahrung weiß, wie schwierig es ist, mit einem Engländer oder Franzosen über Staatsangelegenheiten zu sprechen.«

»Inwiefern, Hoheit?«

Der Schah hob die Schultern. »Wir im Orient lieben es, solche Angelegenheiten in aller Ruhe zu besprechen. Man macht eine Bemerkung, die vielleicht nicht völlig ernst gemeint ist. Man wirft sie hin wie einen Strohhalm in den Wind, um zu sehen, wie sie aufgenommen wird. Meine Ratgeber reagieren darauf, indem sie das gleiche Spiel spielen. Vorschläge werden gemacht und verworfen, vielleicht von denen, die durchaus geneigt sind, sie später anzunehmen. Wir erfreuen uns an einem Streitgespräch um seiner selbst willen. Das ist eine der simplen Vergnügungen in einem Land, das wenige der Vergnügungen des Westens kennt.«

Kelso blickte ungeduldig drein; de Rocheville jedoch antwortete höchst interessiert: »Ich verstehe vollkommen, Sire. In Frankreich sind wir durch unseren erfolgreichen Handel so beschäftigt, daß solche kleinen Freuden leicht in Vergessenheit geraten. Die Kunst der Konversation ist bereits im Niedergang begriffen.«

Der Schah nickte befriedigt, und de Rocheville fuhr fort: »Von meiner diplomatischen Tätigkeit an den Höfen Indiens weiß ich, wie genußreich das Leben hier sein kann und wie anregend ein Gespräch.«

»An den Höfen Indiens!« fuhr Kelso dazwischen. »Seit wann haben Franzosen etwas in Indien zu suchen?«

»Ich war Attaché am Hof von Murschidabad in Chandernagore«, entgegnete de Rocheville ärgerlich, »und vorher in Pondicherry.«

»Beide jetzt in englischer Hand«, ergänzte Kelso sachlich.

Der Franzose wurde rot vor Ärger. Es war ihm anzusehen, daß seine Höflichkeit mit dem Wunsch nach einer geharnischten Antwort kämpfte. Doch ehe er sprechen konnte, sagte der Schah mit einem nachdenklichen Blick auf Kelso: »Hier spricht ein Mann der Tat.«

»Ich bin Seemann, Hoheit«, entgegnete Kelso, »und befehlige ein Kriegsschiff. Ich habe keine Zeit für halbe Wahrheiten und Umwege.«

»Auch nicht für höfische Frivolitäten?«

»Ich bin Seemann, Hoheit, wiederholte Kelso. »Ich sage, was ich denke.«

Der Schah seufzte leicht. »Nun ja, vielleicht haben Sie recht. Da die ganze Welt sich in Kriege stürzen will, ist es vielleicht Zeit, daß man klar und deutlich miteinander spricht.« Er wandte sich um, denn ein Mann kam durch die verhangene Tür. Ohne sich zu erheben, streckte der Schah die Hand aus, um den Ankömmling willkommen zu heißen. »Meine Herren«, sagte er, »ich möchte Sie mit meinem Großwesir bekanntmachen.«

Der Wesir war ein hochgewachsener Mann von außerordentlich würdevollem Wesen. Sein graues Haar und seine faltigen Wangen wollten nicht recht zu seiner jugendlich straffen, aufrechten Haltung passen. Seine Miene war kalt und unnachgiebig und wirkte durch eine alte Verwundung, die ihn ein Auge gekostet hatte, noch grimmiger. Er musterte die Fremden ohne zu sprechen oder zu lächeln, und schließlich war es der Schah, der seine Gäste vorstellen mußte: »Dies ist Kapitän de Rocheville, französischer Gesandter.« Der Wesir neigte kurz das Haupt. »Und dies ist Kapitän Kelso aus England, ein Mann der unumwundenen Worte – ein Mann der Tat.«

Kelso, der ihn genau betrachtete, hatte den Eindruck, daß der Wesir de Rocheville nur recht flüchtig musterte, während das eine Auge, das auf ihm selber ruhte, kalt, forschend, unfreundlich so lange verweilte, bis Kelso irritiert die Stirn runzelte. Doch bevor er ein Wort herausbrachte, war es vorüber – der Wesir wandte sich ab und nahm mit betonter Zurückhaltung etwas abseits auf einem Sitzpolster Platz.

»Kapitän Kelso wünscht über Geschäfte zu reden«, sagte der Schah zu seinem Wesir. »Ich meinte, daß Sie dabeisein sollten.«

»Welche Geschäfte könnten wir mit einem englischen Kapitän haben?« fragte der Wesir. »Oder haben sich die Franzosen mit den Engländern geeinigt?«

»Im Gegenteil«, erwiderte Kelso. »Wir sind im Kriege, und das seit vier Jahren.«

»Es ist eine Übereinkunft getroffen worden, mit den Franzosen über den Abschluß eines Vertrages zu verhandeln«, antwortete der Wesir. »Kapitän de Rocheville ist ihr Gesandter. Sie müssen wissen, daß bereits grundsätzlich Einverständnis über den Vertrag besteht.«

»Was für ein Glück, daß ich noch rechtzeitig gekommen bin«, erwiderte Kelso.

»Glück?« Der Wesir starrte ihn mit seinem einen Auge an. »Das wird sich zeigen.«

»Kapitän Kelso ist unser Gast«, warf der Schah hastig ein. »Wenn wir auf seine Vorschläge nicht eingehen können, so sollten wir ihm doch Gastfreundschaft erweisen.«

»Danke, Hoheit. Ich hoffe, ich werde Sie dazu überreden können, beides zu tun.«

De Rocheville, der die Reaktion des Schahs auf Kelsos Offenheit beobachtet hatte, fühlte sich nun stark genug, um einzuwerfen: »Ich möchte mir nicht erlauben, Sire, etwas gegen Ihre Entscheidungen einzuwenden; aber fairerweise muß ich erklären, daß es stimmt, was der Wesir sagt. Es besteht grundsätzlich Einverständnis über einen Vertrag zwischen unseren Ländern, wenigstens über ein Handelsabkommen, und ich bin guten Glaubens als Repräsentant Frankreichs hierhergekommen. Ist es fair, entspricht es diplomatischen Gepflogenheiten, daß ein Engländer so empfangen wird, als sei er mir gleichgestellt?«

»Er ist ein Gast«, entgegnete der Schah.

»Ein ungeladener Gast.«

»Aber trotzdem ein Gast«, berichtigte der Schah mit leichter Kopfneigung.

»Wissen Sie, wie er hergekommen ist, Sire? Wissen Sie, daß ich, als ich friedlich auf dem Weg hierher war, von Kapitän Kelsos *Paragon* und noch einem Kriegsschiff angegriffen wurde? Wissen Sie, daß er mich sogar bis in den Hafen Buschir verfolgte?«

»Ein entschlossener Mann, dieser Kapitän.«

»Wenn das wahr ist, Hoheit«, mischte sich der Wesir ein, »so hat dieses englische Kriegsschiff das Leben unserer Fischer und der Einwohner von Buschir gefährdet.«

»Was sagen Sie dazu, Kapitän Kelso?« fragte der Schah.

»Daß es unwahr ist«, erwiderte Kelso. »Ich habe die *Lyon* nach Buschir hineingejagt, doch sobald wir in der Bucht waren, habe ich das Feuer eingestellt.«

»Auf jeden Fall«, sagte der Wesir darauf, »war Kapitän de Rocheville unser Gast. Er und sein Schiff kamen auf unsere Einladung. Er wurde von diesem großen englischen Kriegsschiff angegriffen...«

»Die *Paragon* ist eine Fregatte«, unterbrach Kelso, »eine Fregatte der Company.«

»Und die *Lyon*?« fragte der Schah.

Kelso sah den bestürzten Franzosen an. »Die Antwort darauf überlasse ich *capitaine* de Rocheville.«

»Die *Lyon* ist allerdings ein Linienschiff«, räumte dieser ein, »doch müssen Sie bedenken, daß sie beschädigt war.«

»Durch die *Paragon*«, ergänzte Kelso.

»Und ein zweites Schiff.«

»Die *Malabar*, eine Schaluppe.«

»Auf jeden Fall«, fuhr de Rocheville fort, »ist die *Lyon* infolge einer Reihe unglücklicher Umstände beschädigt worden. Sie war nicht in der Lage zu kämpfen – nicht einmal gegen eine lumpige Fregatte.«

Kelso ergriff wieder das Wort. »Ich kann nicht glauben, Hoheit, daß *capitaine* de Rochevilles Anklage ernst gemeint ist. Schließlich hätte er, wenn er schneller nach Buschir gekommen wäre, gar nicht landen können.«

»Was soll das heißen?« fragte de Rocheville erregt.

»Eine Rebellion war im Gange«, erläuterte Kelso. »Das haben Sie doch sicherlich nicht vergessen? Wären Sie ein paar Wochen früher eingetroffen, wären Sie gerade rechtzeitig zu dieser Rebellion gekommen.«

Er sah, daß de Rocheville betroffen zusammenzuckte und rasch zum Wesir hinüberblickte. Kelso gab sich Mühe, völlig ausdruckslos dreinzuschauen. Dabei bekam er Unterstützung durch den Schah, der dieses Streites anscheinend überdrüssig war und zu den Tatsachen kommen wollte. »Meiner Ansicht nach«, sagte er, »wäre ein Handelsabkommen für mein Land von Vorteil. Ob mit Frankreich oder England – nun, ich schlage vor, daß Sie beide erklären, was Sie zu bieten haben.«

»Das ist nicht schwer«, sagte de Rocheville und begann eine

Schilderung – eine sehr übertriebene Schilderung – der Macht, des Reichtums, des technischen Wissens seines Volkes. Er sprach von Frankreichs enorm kampfstarker Marine, seiner tapferen Armee – bis diese langatmige Aufzählung sogar dem Wesir zuviel wurde. Als er Miene machte, de Rocheville zu unterbrechen, wandte sich der Schah eilig an Kelso: »Und was sagt der Mann der Tat dazu?«

»Nur einen Satz: Persien wäre besser gedient, wenn es einen Vertrag mit meinem Land abschlösse, denn wir waren Frankreich militärisch und wirtschaftlich immer überlegen und werden es auch weiterhin sein«, antwortete Kelso gelassen.

Der Schah lachte so laut, daß er de Rochevilles zornigen Protest übertönte; er lachte noch, als der junge Prinz Hafis eintrat, um Entschuldigung bat und dem Schah mit tiefer Verneigung eine Botschaft überreichte.

Stumm warteten sie, während er las, und bemerkten sein betroffenes Stirnrunzeln. Er sagte etwas auf persisch zu dem Prinzen, erhob sich dann und verließ mit einer kurzen Entschuldigung den Raum.

Während seiner Abwesenheit fiel kein Wort. De Rocheville war immer noch so wütend, daß er nicht sprechen mochte, und der Wesir schien seinen Gedanken nachzuhängen. Als der Schah nach etwa zehn Minuten wiederkam, saßen sie immer noch so da, wie er sie verlassen hatte.

Der Schah räusperte sich und sagte leicht verlegen: »Ich bedaure, meine Herren, im Moment kann ich mit Ihnen nicht über einen Vertrag verhandeln. In ein paar Tagen können wir vielleicht weitersprechen. Inzwischen betrachten Sie sich bitte als meine willkommenen Gäste.«

21

Kelso war überzeugt, daß der junge Prinz Hafis den Schah zu diesem Aufschub überredet hatte. Er konnte sich vorstellen, daß Prinzessin Amaril, durch die strengen Vorschriften in die Frauengemächer verbannt, ihren Stiefbruder als Boten benutzt hatte. Wahrscheinlich hatte sie sich gedacht, daß Kelso in seiner Entschlossenheit, einen Vertrag für England zu erreichen, ihren Vater unverzüglich darauf ansprechen würde – daß er imstande wäre, sozusagen noch mit dem Staub der Wüste auf der trockenen Zunge die Wünsche seines Landes – oder seiner ›Company‹ – vorzubringen. Da sie ihren Vater vielleicht erst am Abend sprechen konnte, mochte sie es für ratsam gehalten haben, einen Boten zu schicken – eben Hafis.

Kelso verspürte Sympathie für den jungen Mann, als dieser ihn in sein Quartier führte. Der Prinz war von der gleichen hochmütigen Schönheit wie seine Schwester. Unter ihrer Schönheit jedoch verbarg sich eine wilde, leidenschaftliche Natur; bei ihm dagegen war es der große natürliche Charme, der für ihn einnahm. Während sie durch den Thronsaal, die Beratungszimmer, den ummauerten Garten schritten, sprach er ständig. Er war begierig nach allem Europäischen, nach Einzelheiten über England und Frankreich, über das Leben in London und am Hofe von König George. Obwohl er offensichtlich mehr an den – für ihn – exotischen Verhältnissen des Westens interessiert war, wechselte er das Thema, sobald er aus Kelsos einsilbigen Antworten Verachtung und Abneigung gegen die ›feine Gesellschaft‹ herausspürte, und fragte nach der Position Englands in Indien. Hier wurde Kelso zugänglicher und war tatsächlich überrascht, daß der Prinz so viel über den jahrhundertelangen Kampf der beiden konkurrierenden Handelsgesellschaften wußte.

Sie kamen in einen großen, luftigen Raum, der, wie der Prinz sagte, zu Kelsos Verfügung stand, so lange er in Schiras weilte. In einer Ecke des mit einem dicken Teppich bedeckten Fußbodens stand das Bett, und die mit reichem Schnitzwerk ornamentierten Fenster gingen auf einen anderen Garten hinaus.

»Und mein Steward?« fragte Kelso.

»Er wird gut versorgt.«

»Und wenn ich ihn brauche?«

Der Prinz lächelte. »Wenn Sie diese Glocke läuten, kommt ein Diener. Es wird Ihnen bestimmt nicht an Bequemlichkeit mangeln.«

»Trotzdem hätte ich gern meinen eigenen Steward.«

Der Prinz zögerte etwas und sagte dann achselzuckend: »Wenn Sie unbedingt wünschen, lasse ich ihm in diesem Flügel des Palastes ein Zimmer anweisen. Dann sagen Sie einfach dem Diener Bescheid, wenn Sie ihn brauchen.«

»Danke.«

Zufrieden sah sich Kelso in dem angenehm kühlen Zimmer um. Besonders gefiel ihm das Bett. Nach drei Tagen und Nächten in der Wüste war er erschöpft und sattelmüde.

Doch der Prinz schien es nicht so eilig zu haben. »Ich hoffe«, sagte er, »Sie werden mir gestatten, mich während Ihres hiesigen Aufenthaltes um Sie zu kümmern.«

»Sehr erfreut.«

»Es gibt vieles in Schiras, was Sie interessieren dürfte. Wie Sie schon sahen, hat mein Stiefvater prachtvolle Gärten anlegen und viele neue Bauwerke errichten lassen.«

«Die würde ich gerne sehen.«

»Vielleicht...« Der junge Mann zögerte. »Da Sie doch ein paar Tage hier sein werden, hätten Sie vielleicht Lust, mich zu einem Jagdausflug zu begleiten?«

Kelso nickte. »Gewiß, sehr gern.«

Der Prinz schritt bis zur Tür und blieb dort stehen. »Kann ich Ihnen irgendetwas kommen lassen? Eine Erfrischung oder Wasser?«

»Nein, danke sehr.«

»Sie haben einen Teil des Palastes gesehen. In diesem Flügel sind die Gästezimmer. Auch Kapitän de Rocheville wird hier wohnen, auf der anderen Seite des Innenhofes.«

»Aha.«

Dann errötete Hafis. »Meine Schwester, die Prinzessin, hat ihre Gemächer im Frauenhaus – den Gang entlang und dann rechts.«

Wie sich herausstellte, brauchte Kelso die Prinzessin nicht aufzusuchen. Bald nach Dunkelwerden, als die Fenster auf der anderen Hofseite noch erleuchtet waren und die Springbrunnen im kühlen Garten wie Sternkaskaden funkelten, kam sie zu ihm. Gerade bewunderte er diese Wasserkünste, da sah er sie schnell und leise über den Rasen eilen. Sie kam direkt an seine Tür, und als er öffnete, warf sie sich in seine Arme.

Er hielt sie fest umschlungen und spürte ihren lebensvollen jungen Körper. Er legte ihr einen Finger unters Kinn, hob ihren Kopf und küßte ihre Lippen. »Ich bin so froh, daß du gekommen bist«, sagte er aufrichtigen Herzens.

»Ich mußte kommen. Ich weiß, wie gefährlich es ist, aber ich mußte einfach.«

»Gerade überlegte ich, ob ich nicht zu dir kommen sollte.«

»Nein!« Betroffen blickte sie ihn an. »Du darfst auf keinen Fall zu mir kommen, selbst wenn du wüßtest, wo ich wohne.«

»Ich weiß den Weg zu dir.«

»Du weißt ihn?«

»Den Gang entlang und dann rechts.«

Sie nickte. »Wer hat dir das gesagt?«

»Hafis.«

Es war ihr anzusehen, daß sie wirklich zornig war. »Dieser dumme

Junge!« sagte sie. »Weil ich so unvorsichtig war, ihm zu verraten, daß –
nun, daß ich dich liebe, muß er sofort ausplaudern, was ihm durch den
Kopf geht! Wahrscheinlich denkt er auch noch, er hilft uns damit«.

Kelso lächelte. »Sei ihm nicht böse. Es ist ja nichts passiert. Und
selbst wenn ich versucht hätte, zu dir zu kommen, wäre es wohl nicht so
schlimm gewesen.«

»So? Umgebracht hätte man dich. Das wäre passiert, wenn du
versucht hättest, die Frauengemächer zu betreten.«

»Das ist doch nicht dein Ernst!«

»Du wärest getötet worden, ohne Fragen und Erklärungen, sobald
du durch die Tür gekommen wärst.«

Aber auch jetzt konnte er ihre Warnung nicht so ernst nehmen, wie
sie gemeint war. Das merkte sie wohl, denn sie umfaßte ihn und
beschwor ihn nochmals: »Du darfst auf keinen Fall zu mir kommen.
Versprich mir, daß du das nie tust!« Ihre Stimme brach. »Wenn sie
dich umbringen, sterbe ich auch, das weiß ich genau.«

Er versuchte, sie zu beschwichtigen, denn er wußte, daß er ihr diese
Angst nehmen mußte, ehe er sie nach den vielen Dingen fragen
konnte, die ihn beschäftigten: Wer war der Wesir? Was wußte sie von
seiner Familie und seinem politischen Hintergrund? War er dem
Schah teu? Warum hatte der Schah seine Entscheidung vertagt?

Aber noch während ihm diese Fragen durch den Kopf gingen, hatte
sich die Prinzessin von ihm gelöst und nestelte am Schulterverschluß
ihrer Robe. Mit der völligen Natürlichkeit der Liebe ließ sie das
Gewand zu Boden fallen. Er spürte ihre festen jungen Brüste, sah in
die zu ihm aufblickenden Augen.

Es dauerte eine ganze Weile, bis er seine Fragen stellen konnte,
aber schließlich, als sie ausruhend auf dem Bett lagen, kam er darauf
zurück. Es mußte seine Verhandlungsposition erheblich stärken,
wenn er die Wahrheit wußte. »Was kam eigentlich heute nachmittag
bei der Verhandlung dazwischen? Warum wünschte dein Vater auf
einmal Bedenkzeit?« fragte er.

»Weil ich es ihm empfahl.« Ängstlich sah sie ihn an. »War das
falsch?«

»Du warst das also! Ich habe mir gleich gedacht, daß du Hafis
geschickt hast.«

»Ich habe ihn zwar geschickt, aber er sollte meinen Vater nur
herausbitten.«

»Und du selbst hast deinem Vater von de Rochevilles Absichten
erzählt?«

140

»Ja.«

»Weiß Hafis davon?«

»Ich habe es nur meinem Vater gesagt.«

»Gut. Je weniger Menschen es wissen, um so besser.«

»Besonders, nachdem Hafis dir so leichtsinnig den Weg zu mir verraten hat.« Diese Indiskretion hatte sie offensichtlich noch immer nicht verwunden.

»Was hat dein Vater de Rocheville gesagt?«

»Zuerst wollte er es nicht glauben – de Rocheville sei ein Ehrenmann, sagte er. Ich mußte sehr eindringlich sprechen.«

»Und dann?«

»War er schließlich einverstanden, die Entscheidung zu vertagen, bis wir Beweise haben.«

»Die kriegen wir auch«, sagte Kelso zuversichtlich, »solange de Rocheville nicht merkt, daß wir einen Verdacht haben.«

»Du hoffst immer noch, daß er uns zu seinem Verbündeten hier führen wird.«

»Wie heißt der Wesir?« frage Kelso.

»Mohammed Ali.« Sie stützte sich auf die Ellbogen und sah ihn betroffen an. »Hast du etwa ihn in Verdacht?«

»Seit wann ist er bei deinem Vater?«

»Schon lange – zehn Jahre vielleicht. Ich kannte ihn schon als Kind.«

»War er immer loyal?«

»Vollkommen. Ich will dich nicht beeinflussen, aber ich würde mein Leben für die Treue des Wesirs verwetten.«

»Vielleicht tust du genau das.«

Sie erschauerte und schmiegte sich enger an ihn. Gegenüber, auf der anderen Hofseite, wo de Rocheville schlief, waren die Lichter bereits erloschen. Im Palast war alles still, bis auf das sanfte Plätschern des Springbrunnens. Amaril fragte »Weißt du sicher, wirklich ganz sicher, daß du mich liebst?«

Er wandte den Kopf ab, um ein kleines irritiertes Stirnrunzeln zu verbergen. »Natürlich – warum fragst du?«

»Zeige es mir«, forderte sie, »zeige mir, daß du mich liebst.« Er wandte sich ihr wieder zu und blickte in ihre lächelnden Augen. »Wenn du eine Engländerin wärst, würde ich sagen, du bist schamlos.«

»Selbstverständlich«, erwiderte sie und lachte frei heraus. »Selbstverständlich bin ich schamlos. Und du auch!«

»Das müßtest du erst einmal beweisen.«

»Ganz einfach – wer ist in der Wüste zu mir ins Zelt gekommen, als ich allein und hilflos war?«

»Allein? Ständig war Ibrahim wie ein Schatten hinter dir! Und überhaupt, du hast mich rufen lassen.«

»Weil ich mit dir über de Rocheville reden mußte.«

»Ja, ich weiß.«

»Und dann, als du gehen wolltest ...«

Er legte ihr den Finger auf die Lippen und stimmte in ihr Lachen ein. Für kurze Zeit wenigstens genügte die Erinnerung an ihre erste Nacht, um ihn von seinem dringenden Problemen abzulenken. Er nahm sie in die Arme, aber dann ...

Kelso sprang auf, packte den Degen, der am Bettpfosten hing, und stürzte zur Tür. Der Innenhof lag dunkel und verlassen, doch hörte er – oder glaubte zu hören –, daß jemand davonrannte. Die Prinzessin war neben ihn getreten. »Was ist? Was hast du gehört?«

Nachdenklich trat er ins Zimmer zurück. »Ich weiß nicht. Ich dachte, ich hätte ein Gesicht gesehen – jemanden, der am Fenster horchte.«

»Hast du ihn erkannt?« Sie zitterte jetzt, doch mehr vor Angst als von der Kälte.

»Ich weiß nicht. Vielleicht habe ich zuviel an ihn gedacht.«

»An wen?«

»An den Wesir. Ich glaubte, es war der Wesir, Mohammed Ali.«

22

Während der folgenden Tage waren Kelsos Aktivitäten durch die Aufmerksamkeit gehemmt, die Prinz Hafis ihm widmete. Ob nun der junge Mann durch seine Schwester dazu veranlaßt worden war oder ob er es, was wahrscheinlicher sein mochte, aus echter Bewunderung und Zuneigung tat – jedenfalls gab er sich die allergrößte Mühe, seinen Gast zu unterhalten. Er zeigte ihm die im Zentrum der Stadt angelegten Gärten, die prächtigen neuen Bauwerke mit ihren herrlichen Mosaik- und Lackdächern, und sogar das Armenviertel, wo sein Stiefvater, der Schah, vieles tat, um das Los seines Volkes zu erleichtern. Sie besuchten die menschenwimmelnden *souks*, wo die eingeborenen Handwerker geduldig an exquisiten Silber- und Goldgeschirren hämmerten; Kelso brauchte nur ein wenig Interesse an einem dieser Gegenstände zu zeigen, um ihn sofort als Geschenk angeboten zu bekommen.

Nichts war zu gut für den englischen Gast, nichts machte zuviel

Mühe. Binnen kurzem wurde diese Gastfreundschaft beinahe lästig, besonders da sie Kelso daran hinderte, de Rocheville im Auge zu behalten.

Doch während Kelso vom Prinzen so mit Beschlag belegt wurde, konnte Padstow sich nach Lust und Laune bewegen. Kelso, der seines Stewards Scharfäugigkeit und natürliche Schlauheit zu schätzen wußte, instruierte ihn, de Rocheville und besonders den Wesir zu überwachen. Wenn diese beiden, wie Kelso halb und halb vermutete, unter einer Decke steckten, mußten sie früher oder später zusammenkommen.

Am dritten Tag, als Kelso mit Hafis von einem Ritt in eine Nachbarstadt zurückkehrte, wartete Padstow bereits auf ihn, sichtlich verärgert. Er hatte Platzwunden an der Stirn und ein blaues Auge. »Was hast du denn angestellt?« fragte Kelso bei seinem Anblick.

»Wie befohlen aufgepaßt.«

»Auf de Rocheville?«

»Auf ihn, Sir, und auf den persischen Gentleman.«

»Mohammed Ali, den Wesir?«

»Richtig, Sir.«

Kelso sah an Tür und Fenstern nach, ob jemand draußen horchte. »Also los«, sagte er dann.

»Nun ja, Sir«, berichtete Padstow bekümmert, »ich hatte irgendwie gehört, daß der französische Kapitän ausreiten wollte, und da dachte ich, wenn ich zu den Stallungen ginge, könnte ich rauskriegen, wohin er reitet.«

»Ja?«

»Aber das klappte nicht. Der Stallmeister – ein rechtes Ekel – fand anscheinend, ich wäre unwillkommen, und da Sie befohlen hatten, ich sollte nicht auffallen –«

»Bist du de Rocheville gefolgt?«

»Ich habe draußen gewartet, Sir, im Innenhof, wo wir hereinkamen. Nichts passierte. Erst als ich in der Sonne schon halb gebraten war, hörte ich draußen Pferde vorbeikommen. Na, dachte ich, kannst ja mal nachsehen.«

»War es de Rocheville?«

»Nein, Sir. Ein paar Soldaten. Aber als ich wieder reinkam, sah ich zufällig auf die Straße, und da, am hintersten Ende des Palastes, wurde ein Pferd aus einer Tür geführt, die ich noch nie gesehen hatte.« Padstow hielt inne und betastete vorsichtig die Schorfstellen in seinem Gesicht. »Den, der das getan hat, möchte ich mal erwischen.«

»Kam de Rocheville heraus?«

»Ja, Sir. Er kam heraus, irgendwie verstohlen, und führte sein Pferd ein Stück die Straße hinunter, ehe er aufsaß.«

»Bist du ihm nachgegangen?«

»Bis zur Brücke, Sir, und dann habe ich ihn aus den Augen verloren – ich hab ja nur zwei Beine, Sir, und ein Gaul hat vier.«

Kelso war tief enttäuscht. »Du weißt also nicht, wohin er geritten ist?«

»O doch, Sir, das weiß ich.«

»Also?«

»Ich dachte mir, Sir, es gibt ja nur die eine Straße, und wohin er auch reitet, weit weg von der Stadt kann es nicht sein.«

»Und da bist du ihm gefolgt – zu Fuß?«

»Auf meinen armen kaputten Füßen, Sir. Ich bin ein langes Ende maschiert, Sir.«

»Und hast ihn eingeholt?«

»Da steht ein großes Haus mitten in der Wüste, Sir – mehr ein Palast, finde ich. Ich dachte, ich geh mal rein, ob ich nicht 'n bißchen Wasser kriege – ich kam mir inzwischen vor wie ein ausgedörrter Leichnam, Sir.«

»Und du hast de Rocheville gesehen?«

»Sein Pferd.«

»Wessen Haus war das?«

»Na ja, Sir, das war eben das Problem. Ich machte mich schnell heran, der französische Kapitän sollte mich nicht sehen, und auf einmal, ehe ich wußte, wie mir geschah...« Er hielt inne und befingerte die Wunden in seinem Gesicht.

»Was geschah?«

»Das weiß ich nicht genau, Sir. Ich nehme an, jemand hatte sich herangeschlichen, als ich über die Mauer schaute, und... Na ja, ich kann schließlich nicht nach zwei Seiten gleichzeitig sehen, und das hat er ausgenutzt.«

»Du wurdest bewußtlos geschlagen?«

»So kann man's ausdrücken, Sir. Ich weiß nichts weiter, nur so viel: Als ich wieder zu mir kam, beugte sich ein Mann über mich, wusch mir das Gesicht ab und schob mir einen Becher Wasser zwischen die Zähne.«

»Hat er was gesagt?«

»Ja, Sir, so gut es ging – er konnte ja kein Englisch.«

»Was hat er gesagt?«

»Soweit ich verstehen konnte, hat er sich irgendwie entschuldigt, weil er mich über'n Schädel gehauen hat. Er hat Ihren Namen erwähnt, Sir, also muß er wohl gewußt haben, wer ich war.«

»Und dann?«

»Er hat mir ein Pferd angeboten, damit ich nach Hause käme, Sir.«

»Was du angenommen hast?«

»Zu Fuß hätte ich es wahrscheinlich nicht geschafft, also mußte ich entweder den Gaul nehmen oder in der Wüste bleiben. Er hat auch noch einen Kerl mitgeschickt, der den Gaul zurückbringen sollte.«

»Hast du mit ihm gesprochen?«

»Nein, Sir, aber eins habe ich herausbekommen.«

»Ja?«

»Ich habe herausbekommen, daß dieses Haus, wo ich eins über'n Schädel kriegte . . .«

»Ja?«

»Es war das Haus von diesem Wesir, dem Kerl, den ich beobachten sollte, diesem Mohammed Ali.«

Wenn diese Mitteilung Kelso erregte, so ließ er es sich nicht anmerken. Mit ausdruckslosem Gesicht ging er im Zimmer auf und ab. Es war ihm klar, daß er vielleicht auf die Spur gestoßen war, auf die sie warteten, daß sie aber trotzdem noch weit davon entfernt waren, etwas beweisen zu können. Was er auch sagen und die Prinzessin glauben mochte – der Schah war ein gerechter und ehrlicher Mann, der niemanden auf bloßen Verdacht hin verurteilen würde.

»Was nun, Sir?« fragte Padstow. »Soll ich morgen noch mal dahin?«

»Zum Hause des Wesirs? Nein. Besser, du hast ein Auge auf de Rocheville. Es ist unwahrscheinlich, daß er dort wieder hingeht.«

»Und wenn er's tut, Sir?«

»Dann weiß ich auch nicht weiter. Der Prinz hat mich zu einem Jagdausflug eingeladen. Vielleicht kann ich ihn dazu überreden, daß wir in diese Gegend reiten.«

Wie sich herausstellte, war es gar nicht nötig, den Prinzen zu überreden, denn unerwarteterweise entschloß sich der Wesir, sie zu begleiten. Das paßte so wenig zu ihm, daß Prinz Hafis und sogar der Schah über seine plötzliche Jagdleidenschaft scherzten. Doch der alte Herr besaß so viel Würde, daß alle ihre Scherze an ihm abprallten. Als junger Mann, sagte er, sei er ein berühmter Jäger gewesen. Er wolle es, so lange er schießen könne, gern noch einmal probieren.

Noch bei Dunkelheit ritten sie aus der Stadt, und bei Sonnenaufgang waren sie im Bergland. Die Treiber scheuchten ein paar Luchse auf, und einmal stießen sie auf ein Rudel Wildschweine. Der Prinz war ein unbedachter, leicht erregbarer Schütze, während Kelso auf zwanzig Meter sein Ziel kaum traf. Doch der Wesir überraschte sie alle. Bis zum frühen Vormittag hatte er fünf Wildschweine und einen Luchs erlegt; einen Panther hatte er schwer angeschossen. Bei der Rast am Mittag waren alle seines Lobes voll, und obwohl der alte Herr darauf bedacht war, sich nichts zu vergeben, war ihm doch anzusehen, daß er sich sehr geschmeichelt fühlte.

Sie hatten eben ihren Jagdimbiß beendet, da kam ein Treiber aufgeregt herbei und meldete, der angeschossene Panther befinde sich irgendwo ganz in der Nähe. Er habe einen anderen Treiber angefallen und erheblich verletzt, bevor man ihn verscheuchen konnte.

Der Prinz war sofort entschlossen, ihm den Fangschuß selbst zu geben. Der Wesir wandte ein, er habe das Tier angeschossen, und diese Chance stehe daher zweifellos ihm zu. Kelso entschied den Streit, indem er sein Gewehr ergriff und den Treibern ins Dickicht folgte.

Sie kamen an die Stelle, wo der Panther zuletzt gesehen worden war, doch war nur noch niedergetretenes Gebüsch und eine Blutspur zu erkennen. Der Wesir schlug vor, sie sollten getrennt den Abhang durchstöbern, bis einer auf das Tier stieße.

Kelso war am rechten Flügel und so hoch am Abhang, daß er kaum glaubte, eine Chance zu haben. Der Prinz war in der Mitte der Treiberkette und hatte die beste Position, doch wenn sich das Tier talwärts wandte, würde der Wesir zum Schuß kommen.

Das gefleckte Fell des Panthers verschmolz so mit den braunen Felsbrocken und dem welken Laub, daß Kelso fast auf das Tier getreten wäre. Er sprang zurück, als die angeschossene Raubkatze knurrend mit der Pranke nach ihm schlug, und legte an. Der Panther fuhr hoch und duckte sich zum Sprung.

Obwohl Kelso ein so schlechter Schütze war, konnte er auf diese Entfernung nicht fehlschießen. Er zielte und drückte auf den Abzug – und in diesem Moment ertönte weiter unten ein lauter Ruf, der ihn ablenkte, so daß er dennoch danebenschoß. Seine Muskete donnerte los, doch die große Raubkatze kauerte immer noch mit peitschendem Schweif knurrend vor ihm.

Kelso stand unbeweglich. Das Tier war ihm so nahe, daß ihm keine Zeit zum Nachladen blieb. Wandte er sich um und floh, mußte der Panther mit einem einzigen Satz über ihm sein. Das Gewehr fest in der

Hand, wartete er ab – vielleicht würde ihm einer der Jäger zu Hilfe eilen.

Hilfe kam schneller, als er dachte. Zwei Schüsse fielen, so kurz nacheinander, daß sie fast wie einer klangen. Der erste tötete den Panther. Der zweite schlug Kelso das Gewehr aus der Hand.

23

Da inzwischen eine Woche vergangen und für de Rochevilles Doppelspiel immer noch kein Beweis vorhanden war, mußte der Schah nunmehr zu einer Entscheidung kommen. Der Wesir schien immer noch für Frankreich zu plädieren, obwohl er sich seit dem Jagdzwischenfall Kelso gegenüber merkbar freundlicher verhielt. Dagegen konnte de Rocheville kaum von etwas anderem reden als von der Verzögerung, der Reaktion seiner Regierung und von seinem Schiff, das nun bald wieder seetüchtig sein müsse, voll bewaffnet und kampfbereit – ein Grund mehr für den Schah, mit Frankreich abzuschließen, denn andernfalls könne Persien mit seiner exponierten Küste es sich kaum leisten, eine derartige Bedrohung zu ignorieren.

Auf diese Drohungen und Halbdrohungen reagierte der Schah mit freundlicher Gelassenheit. Je öfter Kelso mit ihm zusammentraf, umso klarer wurde ihm, daß er es mit einem weisen und edlen Mann zu tun hatte. Doch nach einer Woche, in der de Rocheville ihn ständig bedrängte, wurde selbst der Schah unruhig.

Kelso vertraute seine Befürchtungen der Prinzessin an, als sie miteinander in seinem Zimmer ruhten. Es war ein ermüdender Tag gewesen, und jetzt, als die Nachtluft durch die geöffneten Jalousien hereinwehte und der Springbrunnen Kühle und Feuchtigkeit versprühte, genossen sie die erquickende Ruhe. Doch innerlich waren sie beide voll Spannung und Nervosität.

»Woher willst du so genau wissen, daß nicht Mohammed Ali auf dich geschossen hat?« fragte die Prinzessin. Sie konnte nicht vergessen, wie knapp Kelso dem Tode entronnen war.

»Hätte er auf mich geschossen«, erwiderte Kelso, »dann hätte er mich auch getroffen. Er schießt viel besser als der Prinz oder ich.«

»Immerhin – ein alter Mann – in der plötzlichen Erregung ...«

»Er war nicht aufgeregter als vorher, während wir auf die Wildschweine stießen oder er sich unvermutet einem Luchs gegenübersah. Da hat er auch nicht danebengeschossen.«

»Aber wenn er es nicht war...«

»Dann muß es der Prinz gewesen sein.«

Ungläubig, mit weit aufgerissenen Augen starrte sie ihn an. »Hafis! Der würde nicht auf seinen schlimmsten Feind schießen!«

»Nicht absichtlich. Mißversteh' mich nicht. Ich sage ja nicht, daß er mit Absicht auf mich geschossen hat. Ich glaube, er feuerte auf das Tier und hat in der Aufregung beinahe mich getroffen.«

»So könnte es allenfalls gewesen sein.«

Er zuckte die Achseln. »Was tut's? Ich bin ja nicht getroffen worden.«

Verzweifelt umschlang sie ihn mit all der Liebe und Leidenschaft, die ihn bei dieser so jungen und in mancher Hinsicht noch kindlichen Frau immer wieder überraschte. »Du hättest aber getroffen werden können«, rief sie aus. »Ein paar Zoll weiter, und du wärest tot gewesen.«

Tröstend, doch ohne ihre Leidenschaft zu erwidern, hielt er sie in den Armen. In erster Linie dachte er immer noch an den Handelsvertrag. Wie konnte er beweisen, daß de Rocheville ein doppeltes Spiel trieb?

Beide schreckten auf, denn vor den Jalousien flüsterte jemand: »Prinzessin!«

»Wer ist da?« rief Kelso.

»Ich – Ibrahim.«

Kelso sprang auf und ging zum Fenster. Fast unsichtbar in der Dunkelheit kauerte Ibrahim dicht an der Wand. »Was willst du?«

»Prinzessin – ihr Vater kommen – der Schah!«

»Kommt er hierher?«

»Ja.«

Die Prinzessin stand schon neben Kelso, zog ihr Gewand um sich und eilte zur Tür. »Schnell! Ich muß weg!« Sie küßte ihn rasch und eilte hinaus zu Ibrahim.

Unter dem Türrahmen lauschte Kelso ihren sich rasch entfernenden Schritten. Als er sich umdrehte und hineingehen wollte, stand der Schah bereits neben ihm.

Sekundenlang blickten sie einander an; der Schah traurig, bedauernd, Kelso wachsam. Endlich sagte der Schah: »Sie hätte nicht vor mir, ihrem Vater, davonlaufen sollen.«

Kelso antwortete nicht. Er wußte genau, in welch gefährlicher Lage er sich befand. Doch ebenso schnell war er überzeugt, daß es so schlimm nicht abgehen würde: freundschaftlich nahm ihn der Schah beim Arm und schritt langsam mit ihm den Steinpfad hinunter. Die Nacht war still und mondhell. Das Plätschern des Springbrunnens, das Schleifen nackter Füße auf den steinernen Fluren, selbst das Rascheln der Ratten im niederen Gebüsch waren deutlich zu hören. Sie durchquerten den Garten zweimal, bis der Schah zu reden begann.

»Sie müssen begreifen, wie ernst wir Mohammedaner die Unberührbarkeit unserer Frauen nehmen. Die Strafe für jeden Mann, der so unbesonnen ist, die Frauengemächer zu betreten, ist der Tod. Und die Strafe für eine Frau, und sei es die Tochter des Schah, wäre ebenfalls – der Tod.«

»Sie würden im Ernst daran denken, Ihre eigene Tochter zu töten?«

Der Schah seufzte. »Wäre ich wirklich ein treuer Anhänger des Propheten – ich würde es tun.«

»Dann kann ich nur sagen: Das ist eine unmenschliche Vorschrift, die Ihnen schlecht ansteht.«

Mit leichter Zurückweisung drückte der Schah Kelsos Arm. »Da spricht schon wieder der Mann der Tat. Wollen Sie, daß ich Jahrhunderte alte Sitten ändere, nur weil meine Tochter sich in einen englischen Kapitän verliebt hat?«

»In wen sie sich verliebt, spielt keine Rolle. Es geht darum, daß sie eine Frau ist, mit eigenem Willen und dem Recht, selbst zu wählen. Wollen Sie sie in einen Käfig sperren wie ein gefangenes Tier?«

»Seit Jahrhunderten ist der Harem das Los der Frau. Er wurde immer als befriedigende Lösung empfunden, auch von den Frauen selbst.«

»Nicht von einer Frau wie Prinzessin Amaril.«

Ohne seine Schritte zu verlangsamen, blickte der Schah eindringlich in Kelsos Augen. »Sie sagen das mit viel Nachdruck. Heißt das, daß Sie meine Tochter lieben?«

»Wenn das nicht der Fall wäre, hätte ich doch wohl nicht zugelassen, daß sie ihren Ruf aufs Spiel setzt.«

»Das ist keine Antwort auf meine Frage.«

Kelso blieb stehen. »Nun denn – jawohl, ich liebe sie. Ist es das, was Sie hören wollten?«

Zu seiner Überraschung schüttelte der Schah den Kopf. Trauer klang aus seiner Stimme, als er erläuterte: »Ich halte Sie für einen ehrlichen Mann, der die Wahrheit spricht, ohne Rücksicht auf die Folgen.«

»Und?«

»Deswegen hoffte ich zu hören, daß Sie meine Tochter bewundern, vielleicht auch, daß Sie gern mit ihr zusammen sind – doch nicht, daß Sie sie lieben.«

»Sie würden es vorziehen, daß ich mein Spiel mit ihr triebe, ohne sie zu lieben?«

»Ja – selbst das.«

Tief betroffen schritt Kelso weiter. »Aber warum? Ich verstehe nicht –«

»Wenn es nur ein flüchtiges Verlangen wäre – Sie würden nett zu meiner Tochter sein, ihr Komplimente machen, vielleicht mit ihr schlafen. Aber wenn Sie Ihre Mission erledigt haben, wäre alles vorbei. Es würde einen tränenreichen Abschied geben, Sie würden an Bord gehen, und in einer Woche hätten Sie sie vergessen.«

»Das wünschen Sie wirklich?«

»So wäre es mir lieber, denn aus einer echten Liebe zwischen Ihnen beiden kann nur Unglück erwachsen.«

Kelso schüttelte den Kopf. »Ich begreife immer noch nicht.«

»Denken Sie nach«, erwiderte der Schah. »Sie bilden sich ein, daß Sie meine Tochter lieben, und ganz sicher glaubt sie, daß sie Sie liebt. In einer oder zwei Wochen, wenn über den Vertrag entschieden ist – was werden Sie dann tun?«

»Ich gehe wieder an Bord, segle nach Bombay und melde mich bei der Company.«

»Und meine Tochter?«

»Das weiß ich nicht. Ich habe immer angenommen...« Er hielt inne. »Um ganz ehrlich zu sein – ich habe kaum so weit vorausgedacht.«

»Kann ich mir vorstellen. Aber meine Tochter hat es getan. Frauen denken in Herzensangelegenheiten praktisch.«

»Was, glauben Sie, wird sie tun?«

»Ich glaube gar nichts, ich *weiß* es. Sie wird sich nicht von Ihnen trennen wollen. Sie wird darauf bestehen, mit Ihnen auf Ihr Schiff zu kommen. Was Sie oder ich auch einwenden könnten, sie würde nicht darauf hören. Alles wird ihr gleich sein – Gefahren, Unwürdigkeiten, Demütigungen –, wenn sie nur bei Ihnen ist.«

»Nun, was das betrifft«, erwiderte Kelso, »warum eigentlich nicht? Sie kann doch mit mir nach Bombay kommen. Und Gefahren? Nun ja, vielleicht müssen wir kämpfen. Aber Unwüdigkeiten, Demütigungen...?«

»So, meinen Sie? Nicht von der Frau des Gouverneurs oder all den weißen Memsahibs in Bombay?«

Kelso schwieg. So weit hatte er tatsächlich nicht vorausgedacht, sondern nur in der unmittelbaren Gegenwart gelebt. In diesen Tagen war ihre leidenschaftliche Liebe ihm alles gewesen. Nichts sonst, weder Gefahr noch sein Ruf, hatten eine Rolle gespielt. »Es tut mir leid«, sagte er leise. »Ich weiß, daß Sie recht haben – und es tut mir leid.«

Der Schah drückte seinen Arm – war es Dankbarkeit? »Ich habe bereits gesagt, daß es meine Pflicht ist, beide zu bestrafen, meine Tochter und ihren Liebhaber. Wollen Sie das als Ihre Strafe annehmen: daß Sie, wenn Sie gehen, heimlich gehen? Sie werden meine Tochter hier bei ihrem Volk lassen. Wenn sie Ihnen nachkommt, werden Sie ihr ausweichen; und nach Ihrer Abreise werden Sie nie zurückkommen. Sind Sie einverstanden?«

»Nie?« sagte Kelso traurig und blieb stehen. »Das soll ich Ihnen versprechen?«

»Um meiner Tochter willen – wenn schon nicht um Ihrer selbst willen.«

Kelso blickte in das gütige, nun von tiefer Sorge geprägte Antlitz. Er dachte an die Prinzessin, die ihn liebte und dafür alle Demütigungen der sogenannten guten Gesellschaft in Bombay erleiden würde. Er dachte an die boshaften Lippen, die hinter Fächern flüstern würden.

»Gut«, sagte er heiser, »ich verspreche es. Doch wenn ich gehe, muß es bald sein. Und ich kann nicht abreisen, ehe ich nicht weiß, wie Sie über den Vertrag entschieden haben.«

24

Am nächsten Morgen, eine Stunde nach Sonnenaufgang, hatte der Schah alle Beteiligten zu einer Besprechung über den Vertrag geladen. Sie kamen im Empfangszimmer zusammen, wo sie bereits verhandelt hatten – war das wirklich erst eine Woche her?: der Schah, Mohammed Ali, de Rocheville, Prinz Hafis und Kelso.

Der Schah wirkte nervös und unruhig; wahrscheinlich, dachte Kelso, hatte er sich noch immer nicht entschlossen. Frankreich oder England? Einerseits hatte Frankreich die Vorhand als erster Initiator des Abkommens, andererseits hatte England Indien erobert. Vielleicht hieß es auch ganz einfach: de Rocheville oder Kelso?

Hatte der Franzose tatsächlich die Absicht gehabt, Schahrukh zu helfen? Gäbe es doch nur den Fetzen eines Beweises! Nach einer

Woche des Beobachtens und des Wartens war nichts vorhanden, nur ein ungesicherter Verdacht.

Und doch hielt Kelso hartnäckig an seinem Glauben fest. Ganz bestimmt war de Rocheville mit dem Plan nach Persien gesegelt, Schahrukh auf den Thron zu setzen. Dieser Plan war gescheitert wegen seines unglücklichen Zusammentreffens mit der *Paragon*. Und doch – hier lag, wie Kelso genau wußte, der schwache Punkt seiner Position – mußte immer noch ein Verräter am Hofe sitzen. Aber wer? Möglicherweise der Wesir, obwohl ihm das, dem Augenschein zum Trotz, unwahrscheinlich vorkam. Nach Padstows mißlungener Beschattungsaktion hatte de Rocheville ganz beiläufig eine plausible Erklärung für seinen Besuch bei Mohammed Ali gegeben. Und der Zwischenfall bei der Jagd? Die Unterstützung, die der Wesir de Rocheville zuteil werden ließ? Alle diese Indizien waren zu unsicher.

Die Verhandlungen dauerten noch an, als die Sonne schon hoch am Himmel stand und es im Saal immer heißer wurde. Zu seiner Überraschung stellte Kelso fest, daß seine Position stärker war, als er angenommen hatte. Der Wesir erkannte wohl den moralischen Anspruch de Rochevilles an, setzte sich aber, wie deutlich zu merken war, nicht mehr so stark für ihn ein wie vor einer Woche. Und Hafis, den der Schah, dessen war Kelso sicher, zugezogen hatte, weil er ein Gegengewicht gegen de Rochevilles Argumente haben wollte, plädierte hitzig für Kelso.

Der Schah hörte sich alles an und sagte nichts. Er wirkte immer unentschiedener. Kelso hatte den Eindruck, nachdem jeder seinen Standpunkt klargemacht hatte, würde der Ausgang eher vom Glück als von vernünftigen Argumenten abhängen. Doch den außerordentlichen Glücksfall, der die Besprechung platzen ließ, hatte er nicht voraussehen können.

Sie hörten eben de Rocheville zu, der wieder einen seiner endlosen polemischen Monologe hielt, als ein Läufer dem Schah eine Nachricht überbrachte. Dieser las sie, und auf einmal war seine Unentschlossenheit wie weggeblasen. Er erhob sich und sagte: »Gestatten Sie mir, meine Herren, die Verhandlung zu unterbrechen. Soeben wurde mir etwas Unerwartetes gemeldet, das Einfluß auf die Entscheidung haben kann.«

Stumm sahen sie ihn an, und als er weiter keine Erklärung gab, fragte de Rocheville: »Können Sie uns sagen, Sire, was geschehen ist?«

»Meine Soldaten haben einen Boten abgefangen, einen Boten Schahrukhs.«

»Einen Boten Schahrukhs!«

»Ja. Ich fürchte, ein Verräter befindet sich in dieser Stadt.«

Kelso beobachtete de Rocheville genau und sah sein unverkennbar erschrockenes Blinzeln. Rasch wandte er den Blick zum Wesir, doch dieser war so ruhig und würdevoll wie immer. »Wer ist der Verräter?« fragte Kelso.

»Das muß sich noch herausstellen. Doch wir haben den Boten. Anscheinend hat er versucht, sich bei der Gefangennahme zu vergiften. Doch der Hauptmann der Wache, ein sehr tüchtiger Offizier, hat das verhindert.«

»Jetzt wird er verhört?«

»Ja.«

»Auch gefoltert?«

»Nötigenfalls. Wenn wir auch den Verräter haben, wird es interessant sein, die Einzelheiten der Verschwörung zu erfahren.«

Schahrukhs Bote schien nicht der geeignete Mann für so gefährliche Unternehmungen zu sein. Er war ein junger Schäfer aus dem Hochland von Khurasan. Er war bemitleidenswert mager und unterernährt, und als er zur peinlichen Befragung an den Handgelenken hing, traten seine Rippen hervor wie bei einem Skelett. Bei diesem Anblick konnte Kelso nicht umhin, Mitleid für ihn zu empfinden. Welche Belohnung mochte ihn wohl veranlaßt haben, sein Leben – und die Folter – zu riskieren?

Der Henker des Schah fachte mit dem Blasebalg bereits das Feuer an. Messer, Peitschen und andere furchtbare Foltergeräte lagen bereit. Der arme Teufel, der da baumelte, konnte alles genau betrachten. Er sah aus, als sei er bereits halb tot vor Angst. Im Licht des Feuers glänzten sein Gesicht und sein Körper vor Schweiß; in panischer Angst rollten seine Augen.

Endlich war der Henker soweit. Er nahm einen rotglühenden Eisenstab vom Feuer und trat mit finsterer Miene vor sein Opfer.

Der Schrei des Boten war schlimmer als alles, was Kelso je gehört hatte oder sich vorstellen konnte. Selbst in der Seeschlacht, wenn Männer mit zerfetzten Gliedern an Deck herumlagen, hatte er dergleichen nicht erlebt.

Der Henker stand jetzt wieder beim Feuer und wählte ein anderes Folterwerkzeug aus. In Erwartung eines Befehls blickte er den Schah an. Der Schah nickte.

Doch der Mann hatte genug. Er fing an zu schreien und zu sprechen; seine Worte überstürzten sich; es konnte kaum zu verstehen sein, was er sagte.

Und doch verstand ihn der Schah. Dicht neben dem sich vor Schmerzen windenden Boten stehend, befragte er ihn wieder und wieder. Und je mehr er hörte, umso furchtbarer wurde seine Miene, und seine sonst so gesunde Gesichtsfarbe verblich zu einem aschfahlen Grau. Er müsse wohl, dachte Kelso, etwas Unglaubliches, Unfaßbares hören. Auch der Wesir, der etwas abseits, mit dem Rücken an der Wand, dabeistand, lauschte gespannt.

Kelso trat zu ihm und fragte: »Was bedeutet das? Was sagt er?«

Der Wesir blickte ihn kurz an und entgegnete dann: »Er enthüllt eine Verschwörung gegen den *vakil.*«

»Ja?«

Mit kalter, ausdrucksloser Stimme fuhr der Alte fort: »Der französische Kapitän ist nicht, was er scheint. Er sollte Schahrukh bei dessen Rebellion helfen. Er hat ja ein starkes Kriegsschiff.«

»Die *Lyon.*«

»Es sollte bereits vor einem Monat in den nördlichen persischen Gewässern sein.«

»Um die von Nordosten kommenden Streitkräfte Schahrukhs zu verstärken.«

Der Wesir sah ihn überrascht an. »Sie wußten das?«

»Ich habe es mir gedacht. Ich habe meinen Verdacht der Prinzessin mitgeteilt, sie hat ihn an den Schah weitergegeben, und er war bereit, den Abschluß des Vertrags hinauszuzögern, bis ich Beweise gefunden hätte.«

»Aber Sie haben nichts gefunden?«

»Nichts.«

»Sie sind ein kluger Mann, Kapitän. Offensichtlich habe ich Sie unterschätzt. Doch wie konnten Sie hoffen, hier in Schiras etwas herauszufinden?«

Kelso zögerte. Er merkte, daß ihn der Wesir mit seinem einen grauen Auge ruhig und aufmerksam musterte. Und er wußte: Das war nicht der Mann, der den Schah verraten hatte. »Ich wartete darauf«, sagte er, »daß de Rocheville mich zu seinem Verbündeten bei Hofe führen würde.«

»Sie wußten, daß es einen Verbündeten geben mußte – einen Verräter?«

»Ich habe es mir gedacht. Wie konnte de Rocheville seine Pläne machen, wie sein Doppelspiel treiben, wenn er nicht verläßliche Informationen aus Schiras hatte?«

Jetzt erst ließ der Wesir seine innere Bewegung erkennen. Er seufzte leise und bedauernd.

»Nun, da hatten Sie recht.«

»Kennt der Bote den Verräter?«

»Selbstverständlich. Ihm sollte er ja die Botschaft überbringen.«

»Ihm?«

»Dem Prinzen Hafis.«

Ungläubig starrte Kelso den Alten an und versuchte, seine durcheinanderwirbelnden Gedanken zu beruhigen. Hafis! Der eigene Sohn des Schah – nein, sein Stiefsohn. Doch wenn das so war ... Auf einmal lösten sich alle Rätsel: Hafis hatte beim Jagdausflug auf ihn geschossen, Hafis hatte ihn töten wollen. Hafis hatte ihm in heimtückischer Absicht den Weg zu den Frauengemächern verraten. In Erinnerung an den ersten Tag wurden Kelso wieder Einzelheiten bewußt, die ihm damals kaum aufgefallen waren. Nur Hafis hatte von der *Paragon* gewußt. Der Wesir hatte gedacht – oder hatte wenigstens so getan –, daß die *Paragon* größer wäre als die *Lyon*. Außerdem, wie er sich zu seiner eigenen Verwunderung erinnerte, hatte de Rocheville den Namen des Prinzen gewußt – aber nicht den des Wesirs.

Der Wesir sprach weiter: »Anscheinend ist das etwas, Kapitän, das sogar Sie nicht erraten haben.«

Kelso nickte. »Sie haben recht – und doch hätte ich es mir denken müssen.«

»Vielleicht war Ihr Verdacht bereits in eine andere Richtung gelenkt worden?«

»Ja – auf Sie.«

Er schritt hinüber zum Schah, der immer noch unentschlossen neben dem Boten stand. Man hatte den Mann losgebunden und brachte ihn mit Wassergüssen wieder zu Bewußtsein.

»Ist es zu Ende, Hoheit?« fragte Kelso.

»Was zu Ende?«

»Die Folter.«

Müde strich sich der Schah über die Augen. »Ja«, sagte er, »dieser arme, mißleitete Bursche kann uns nichts mehr mitteilen.«

»Wie ich höre, hat er unseren Verdacht bezüglich de Rocheville bestätigt.«

»Wie? O ja. Die Franzosen haben ein doppeltes Spiel getrieben.«

»Und der Vertrag?«

»Der – Vertrag?« Die Augen, die Kelso anblickten, waren wie tot vor Schmerz und Unglauben.

»Der Vertrag mit England, das Handelsabkommen mit unserer Ostindischen Handelsgesellschaft.«

»Ach, der ... O ja!« rief der Schah in einem unerwarteten Zornesausbruch. »Sie haben Ihren Vertrag, Kapitän. Aus diesem Wust von Verrat, Lüge, Dummheit und Mangel an Vertrauen haben wenigstens Sie etwas gewonnen. Sie haben meine Zusage zum Vertrag.«

»Danke, Hoheit. Wollen Sie das Dokument unterzeichnen, das meine Regierung vorbereitet hat?«

»Später!« rief der Schah. »Später!«

»Es wäre besser, Sie täten es gleich, Hoheit.«

Sekundenlang sah es so aus, als würde der Schah seinen Gefühlen durch einen heftigen Ausbruch Luft machen. Das Blut stieg ihm ins Gesicht, seine sonst so gelassen blickenden Augen schlossen sich halb vor Erregung. Doch er bezwang sich und brachte schließlich sogar ein Lächeln zustande. »Der Mann der Tat«, sagte er. »Kommen Sie mit in meine Gemächer. Sie sollen Ihren Vertrag erhalten.«

25

Kelso hielt das Vertragsdokument fest in beiden Händen. Nun, da seine Aufgabe vollendet war, fühlte er keine Gehobenheit, nur eine quälende Ungeduld, wieder an Bord der *Paragon* und auf See zu kommen. Und auch die alte Rechung mit der *Lyon* war noch offen.

Es überraschte ihn keineswegs, daß der Befehlshaber der Wache meldete, de Rocheville und Prinz Hafis seien geflohen. Die Gefangennahme von Schahrukhs Boten hatte genügt, ihnen klarzumachen, daß ihre einzige Hoffnung in der Flucht lag. Weit konnten sie nicht sein.

Während der Schah seine Soldaten zu ihrer Verfolgung beorderte, ging Kelso auf sein Zimmer, um zu packen. Wenn sie scharf ritten, konnten sie hoffen, die Flüchtigen bis Sonnenuntergang eingeholt zu haben. Doch im Innersten hoffte er, daß de Rocheville entkommen möge – nicht aus Sympathie für die Franzosen, sondern weil es dem zu erwartenden Seegefecht an Würze gefehlt hätte, müßte die *Lyon* ohne ihren Kommandanten kämpfen.

»Ich will Ihnen Lebewohl sagen.«

Er wandte sich um und sah den Schah in der Tür stehen. »Leben Sie wohl, Hoheit«, sagte Kelso, »und Dank für Ihre Gastfreundschaft.«

»Sie werden mich an dem Franzosen rächen?«

»Entweder noch hier im Lande oder zur See.«

»Er muß bestraft werden für das, was er meinem Stiefsohn angetan hat und für das, was er mir anzutun versuchte.«

»Ich habe selber noch eine Rechnung mit ihm zu begleichen und verspreche Ihnen, daß er nicht davonkommen wird.«

Anscheinend befriedigt nickte der Schah und ergriff Kelsos Hand. »Und mein Stiefsohn – wenn er ergriffen wird...«

»Ja?«

»Behandeln Sie ihn verständnisvoll. Er ist ja noch ein Knabe.«

»Ein Knabe, der seinen Vater verraten hat.«

»Und der durch größenwahnsinnige Versprechungen verführt worden ist.«

Kelso zuckte die Achseln. »Gewiß. Was soll ich mit ihm machen, wenn er gefangengenommen wird?«

»*Falls* er gefangengenommen wird...«

Kelso sah den bittenden Blick und die halb beschämte Miene. »Gewiß«, sagte er, »ich verstehe.«

Der Schah wandte sich zur Tür, doch zögerte er noch. »Bevor Sie gehen«, sagte er, »ist da noch jemand...« Wieder hielt er inne und fuhr mit rauher Stimme fort: »Sie haben versprochen. Vergessen Sie das nicht! Sie haben mir Ihr Wort gegeben.«

Fast bevor ihr Vater am Ende des Flures war, stand die Prinzessin schon in Kelsos Zimmer. Sie warf sich in seine Arme und klammerte sich schluchzend an ihn. »Du gehst«, rief sie aus. »Immer habe ich gewußt, daß dieser Moment einmal kommen wird, doch habe ich nie geglaubt, daß es so schlimm sein würde.«

»Es war unvermeidlich«, sagte er leise.

»Aber daß ich dich und Hafis am selben Tag verlieren muß!«

Wortlos hielt er sie in seinen Armen und ließ sie sich ausweinen. Schluchzend fragte sie: »Du kommst doch wieder?«

Er sagte immer noch nichts.

Da sah sie zu ihm auf. Ihr Gesicht war durch die strömenden Tränen fleckig und unschön – aber seltsam anrührend. Nochmals fragte sie, und in ihrer Stimme schwang ein Unterton von Hoffnung, an die sie selbst nicht glaubte: »Du kommst wieder?«

»Ich reite mit den Soldaten deines Vaters, die de Rocheville verfolgen«, antwortete er. »Vielleicht fangen wir ihn erst an der Küste.«

»Aber dann – wenn du ihn getötet hast – kommst du zurück?«

Seine rücksichtslose Ehrlichkeit hinderte ihn daran, Amaril mit einer barmherzigen Lüge zu trösten. »Wenn ich de Rocheville gefangengenommen und die *Lyon* versenkt habe, ist meine Aufgabe hier beendet. Dann muß ich nach Bombay zurück.«

Verzweifelt, ohne das Gesicht abzuwenden, brach sie erneut in Tränen aus. »Ich wußte es«, schluchzte sie. »Ich glaube, tief in meinem Herzen habe ich es immer gewußt.«

»Was hast du gewußt?«

»Daß dir diese Liebe nichts bedeutet hat, daß sie nur eine vorübergehende Leidenschaft war.« Sie hielt inne und fuhr böse fort: »Selbst wenn wir zusammen waren, hier in diesem Zimmer, konnte ich genau unterscheiden, wann du nur an mich und wann du bei der Liebe an den Vertrag, an diesen verfluchten Franzosen und an dein Schiff gedacht hast.«

»Ich liebe dich«, entgegnete er leise.

»Das sagst du jetzt!«

»Ja. Jetzt, da ich gehen muß, weiß ich, daß ich dich liebe.« Hoffnungsvoll, ungläubig, angstvoll sah sie ihn an. »Wenn das wahr ist, warum kann ich dann nicht mitkommen?«

»Aus hundert Gründen – guten Gründen; aber in erster Linie, weil ich ein Versprechen gegeben habe.«

»Meinem Vater!«

Er antwortete nicht, sondern wandte sich ab, um seinen Degen umzuschnallen.

»Nimm mich mit«, rief sie leidenschaftlich. »Was deine Gründe auch sein mögen – sie können nicht so stark sein wie meine Liebe zu dir.«

»Ich habe ein Versprechen gegeben.«

Er ging zur Tür, doch sie stürzte ihm nach und klammerte sich an ihn. »Nimm mich mit, ich flehe dich an. Nimm mich mit!«

»Ich muß gehen«, erwiderte er. »Es tut mir leid ...« Er hielt inne, beugte sich rasch zu ihr hinunter und küßte sie auf die Stirn. »Leb wohl.«

Beim Hinausgehen sah er, daß sie zusammenbrach, und war wütend auf sich selbst, weil dieses traurige Bild nun seine letzte Erinnerung an Amaril sein würde.

Den ganzen Vormittag waren sie scharf geritten, ohne die Flüchtigen zu Gesicht zu bekommen. Der Hauptmann der Leibwache, der mit Kelso an der Spitze der Kolonne ritt, machte von Zeit zu Zeit Halt, um vorbeikommende Wanderhirten und Dorfbewohner nach den Reitern zu befragen. Aus ihren Antworten ging hervor, daß de Rocheville, sein

Steward und Prinz Hafis nicht weit vor ihnen sein konnten. Gegen Ende des Vormittags war der Vorsprung noch geringer geworden, und gegen Mittag wurden sie nur ein paar Minuten voraus gemeldet. Außerdem, so berichtete ein Dorfbewohner, lahmte eines ihrer Pferde beträchtlich.

»Wessen Pferd?« fragte Kelso, als ihm diese Nachricht übersetzt wurde.

»Das Pferd des französischen Kapitäns.«

So war also zumindest das Schicksal de Rochevilles besiegelt – wenn er sich nicht entschloß, seinen Steward zu opfern. Zwei Pferde für drei Mann, die alle um ihr Leben reiten mußten: ein interessantes ethisches Problem.

Einer der Soldaten deutete nach vorn in die Berge und stieß aufgeregte Rufe aus. Zunächst sah Kelso nur den nackten felsigen Hang – Sand, Steine, den staubigen Pfad. Erst als er dem Pfad mit Blicken folgte, sah er die Staubwolke – zwei Staubwolken – und dann die Pferde: zwei gingen in gleichmäßigem Schritt bergauf, das dritte folgte in einiger Entfernung.

»Sie sind unser«, sagte der Hauptmann der Leibwache. »Wir machen eine kleine Erholungspause, dann holen wir sie uns in aller Bequemlichkeit.«

»Pause? Sie wollen jetzt anhalten?«

Der Offizier zuckte die Achseln. »Warum nicht? Vor ihnen ist nur die Wüste, kein Versteck, nirgends können sie hin. Mit dem lahmen Pferd könnten sie sich ebensogut gleich ergeben.«

»Aber zwei könnten entkommen.«

»Ein paar Stunden vielleicht. Und was hätte das für einen Sinn?«

»Ein Mann gibt sein Leben nicht so leicht auf. Sie werden weiterreiten, bis die Pferde zusammenbrechen.«

»Und? Jedenfalls werden wir sie fangen. Unsere Pferde sind dann wieder frisch.« Der Offizier musterte den Dorfbrunnen und den kühlen Schatten der Hütten. »Wir müssen keinen Gewaltritt machen«, sagte er überredend.

»Wenn einer von ihnen entkommt«, wandte Kelso ein, »dann haben Sie die Verantwortung.«

Alles in allem blieben sie eine knappe Stunde im Dorf. Durch Drohungen und Überreden trieben die Soldaten so viel Eier und Datteln auf, daß es für ein karges Mahl reichte. Die Sonne stand noch hoch, als sie die Verfolgung wieder aufnahmen.

Der Pfad führte steil bergan und lief schließlich auf einer Hochfläche aus. Dort auf dem ebenen Grund konnten sie meilenweit sehen, doch von de Rocheville und seinen Begleitern war nichts zu erblicken. Der Offizier hatte zwar lebhaft versichert, hier oben sei nur kahle Wüste; aber trotzdem gab es zahlreiche hohe Felsen und Schluchten, in denen sich ein Mann verbergen konnte, und Kelso bestand darauf, daß sie langsam vorrückten, als Vorsichtsmaßnahme, falls sich einer der Flüchtigen irgendwo versteckt hielt. So hatten sie etwa eine Meile zurückgelegt, als Kelso das grasende Pferd erblickte.

Es war eine schmale Klamm, in der sich genug Feuchtigkeit angesammelt hatte, daß ein paar Büschel Gras wachsen konnten. Das Pferd hob nicht einmal den Kopf, als sie näherkamen, sondern graste weiter, von einem Grasbüschel zum nächsten lahmend. Etwas weiter entfernt lag die Leiche eines Mannes.

Prinz Hafis. Er lag auf dem Rücken, Arme und Beine von sich gestreckt, mit blicklosen Augen in die Sonne starrend. Ein Blutfleck war auf seiner Brust.

Betroffen sah der Offizier vom Sattel aus zu, wie Kelso den Toten untersuchte.

»Wie ist es passiert?«

»Ein Pistolenschuß.«

»War es der französische Kapitän?«

Kelso hob die Schultern. »Zwei Pferde für drei Mann. Offenbar war der Steward dem Kapitän wertvoller als Prinz Hafis.«

»Wir müssen ihn fangen«, rief der Offizier erregt. »Und das sofort! Der Schah verzeiht mir nie, wenn er entkommt.«

Sie ritten bis zum Ende der Hochebene und begannen den steilen Abstieg zum Flachland. Auf halber Höhe verengte sich der Abhang zu einer schmalen, abgrundähnlichen Schlucht. Kelso erinnerte sich an den Ritt von Buschir nach Schiras: Hier war damals ein Steg aus Planken und Seilen gewesen, gerade breit und stark genug für jeweils einen Reiter. Beim Näherkommen sahen sie, daß die Seile leer in den Abgrund baumelten.

»Allah schütze uns!« rief der Offizier aus. »Sie haben die Brücke zerstört!«

»Haben Sie damit nicht gerechnet? Dachten Sie, die würden sie intakt lassen?«

»Ich weiß nicht. Ich dachte nur –«

»Wie weit müssen wir reiten, um hinüberzukommen?«

»Sieben oder acht Kilometer. Ein langer und schwieriger Ritt.«

Kelso sah den Offizier an und schluckte seinen Ärger hinunter. »Dann los!«

26

Den ganzen Nachmittag ritten sie, spornten die Pferde ungeachtet der glühenden Hitze an; und gegen Abend fanden sie den zweiten Flüchtling: de Rochevilles Steward, der neben seinem gestürzten Pferd im Sterben lag. Rasch saß Kelso ab, ehe die Soldaten mit ihren Dolchen heran waren. Eine Wolke von Fliegen stieg von einer klaffenden Kopfwunde hoch, und das Gesicht des Verletzten war schwarz vom Sonnenbrand. Delirierend vor Schmerzen mußte er hier gelegen haben, wie de Rocheville ihn hatte liegenlassen. In seinen vom Todeskampf getrübten Augen stand kein Zeichen des Wiedererkennens.

Der persische Offizier gab einen Befehl, und zwei Soldaten schickten sich an, den Sterbenden hochzuzerren.

»Halt!« forderte Kelso. »Was tut ihr da?«

»Wir nehmen ihn mit, zur Befragung.«

»Er wird auf keine Fragen mehr antworten.«

»Nun, dann wollen wir wenigstens unseren Spaß mit ihm haben.«

»Nein!« Kelso zog seine Pistole. »Er kann hier sterben.«

Finster sah der Perser Kelso an. »Er ist mein Gefangener.«

»Und ich habe Instruktionen von Ihrem Herrn, dem Schah.«

Der Offizier starrte Kelso zwar immer noch an, aber schon etwas unsicher. »Ich meine, wir nehmen ihn trotzdem mit.«

»Er stirbt hier.«

Kelso trat an dem Offizier vorbei zu dem Sterbenden und stellte sich breitbeinig über ihn. Dann gab er den beiden Soldaten ein Zeichen, Platz zu machen. Er drückte ab, und der Mann starb, ohne zu zucken.

Kelso wandte sich dem mürrisch danebenstehenden Offizier zu: »Sie täten gut daran, Ihre Leute aufsitzen zu lassen. Der Schah wird uns nie verzeihen, wenn der Mörder seines Sohnes entkommt.«

Sie ritten weiter, manchmal im Trab, manchmal in kurzem Galopp, meistens aber in langsamem, stolperndem Schritt. Nur weil es bergab ging und die Gegend nach und nach grüner wurde, liefen die Pferde noch. Dann näherten sie sich dem See, dem üblichen Rastplatz auf der Strecke von Buschir nach Schiras. Dörfer und kleine Äcker lagen längs des Weges. Von einem wandernden Hirten erfuhren sie, daß ein ermatteter Reiter, ein Europäer, vor einer knappen Stunde vorbeigekommen sei.

»Jetzt erwischen wir ihn«, sagte der Hauptmann, offensichtlich belebt von der Aussicht auf Rast und Erfrischung am See.

Kelso antwortete nicht. Er überlegte, was de Rocheville tun würde.

Da er mit ihm gekämpft und ihn von Malabar bis zum Persischen Golf verfolgt hatte, wußte er, daß er ein Mann war, der sich nicht so leicht ergeben würde. Und de Rocheville mußte sich darüber klar sein, welches Schicksal ihn erwartete, wenn die Soldaten des Schah ihn fingen. Kelso fragte sich, ob er ihn eventuell erschießen mußte, um ihn vor der Folter zu retten.

Müde ritten sie in die baumbestandene Steppe ein, und nur der Geruch des nahen Wassers trieb die Pferde vorwärts bis zum See. Ohne Befehl oder Erlaubnis abzuwarten, wateten Roß und Reiter in das flache Wasser. Kelso saß ab und wartete ungeduldig, bis der Hauptmann wieder ans Ufer kam.

Er kam endlich, das Wasser tropfte ihm von Gesicht und Haar, und als er Kelso mit der dicken Staubmaske im Gesicht dastehen sah, fragte er ungläubig: »Sind Sie denn gar nicht durstig?«

»Erst sollten wir uns nach dem Franzosen umsehen. Er darf uns nicht wieder entkommen.«

»Er wird nicht wieder entkommen.«

»Ich weiß; das haben Sie schon einmal gesagt.«

Mißmutig wandte der Hauptmann sich ab. »Schon gut. Ich reite mit ein paar Leuten voraus.«

Da erst merkte Kelso, wie erschöpft er war. Steifbeinig ging er zum Ufer. Erst als er knietief im Wasser stand, wusch er sich Staub und Flugsand aus Mund und Augen. Beträchtlich erfrischt richtete er sich auf und überlegte, wo de Rocheville sein mochte und was er wohl vorhatte.

»Sir! Sie sind ja ganz naß und haben Ihre Stiefel verdorben!« Padstow kam herbeigeeilt, offenbar schlug ihm das Gewissen, weil er diesmal zuerst an seine eigene Erfrischung statt an seinen Kapitän gedacht hatte.

»Keine Zeit«, wehrte Kelso ab, »wir haben zu tun.«

»Jawohl, Sir.«

»Wenn de Rocheville hier ist –«

»Ja, Sir. Darf ich Ihnen jetzt die Stiefel ausziehen? Ich kann sie hier in der Sonne trocknen.«

»Was? Ach, hol der Teufel meine Stiefel! Kommt da der Hauptmann zurück?«

Das war der Fall. Langsam schritt der Offizier über die Lichtung.

»Ist er nicht mehr hier?« fragte Kelso. »Ist er entwischt?«

»Vor kurzer Zeit. Ich konnte mir nicht denken...«

»Daß er ein entschlossener Mann ist?«

»Ein reisender Kaufmann hat hier Rast gemacht. Er hatte ein Pferd.«

»Das de Rocheville gestohlen hat?«

»Er hat den Kaufmann bedroht und seinen Diener angeschossen, der ihn aufhalten wollte. Jetzt ist er weg, mit einem frischen Pferd. Heute können wir ihn nicht mehr einholen.«

»Ganz Ihrer Meinung. Wir müssen hierbleiben und ein paar Stunden rasten.«

Wenig begeistert erwiderte der Offizier: »Vielleicht können wir uns Pferde besorgen. Ich könnte sie im Namen des Schah requirieren.«

»Und dann reiten wir im Dunkeln an de Rocheville vorbei? Das lohnt das Risiko nicht.«

Kelso hatte sich damit abgefunden, daß de Rocheville nun einen Tag Vorsprung bekam. Wenn sein Pferd frisch war und er sich nicht verirrte, konnte er beim Morgengrauen viele Meilen voraus sein. Hatte er Glück, so war er am nächsten Abend nur noch einen scharfen Nachtritt von der Küste entfernt. Doch wie lange konnte er das Tempo durchhalten, das Angst und Entschlossenheit ihm aufzwangen? Schon jetzt mußte er zu Tode erschöpft sein. In welcher Verfassung würde er sein Schiff erreichen, wenn er noch zwei Tage so weitermachte? Das war es, was Kelso immer gewollt hatte; darüber wurde er sich nun klar. Insgeheim hatte er immer gehofft, daß de Rocheville ihnen entkommen würde. Um seines eigenen Rufes willen mußte er den französischen Kommandanten auf hoher See bezwingen.

Sobald er den Imbiß verzehrt hatte, den Padstow ihm bereitete, legte er sich hin; und erst dann, als er zu den Sternen aufblickte, kamen die Erinnerungen mit Macht über ihn. Alles fiel ihm wieder ein: diese Lichtung, wo *ihr* Zelt gestanden hatte, diese Bucht, ihr Lager im hohen Gras. Und nun? Nur noch die quälende Erinnerung an ihr tieftrauriges Gesicht, an ihren kraftlos zu Boden sinkenden Leib, den er so geliebt hatte, war ihm geblieben. Was mochte sie in diesem Moment denken?

Er schloß die Augen und zwang seinen Geist in den Schlaf.

Vor Sonnenaufgang saßen sie bereits wieder im Sattel, und als es hell wurde, hatten sie den langen Abhang zur Ebene hinter sich. Die offene Wüste erstreckte sich nach allen Seiten und so weit das Auge sehen konnte. Dem Augenschein nach gab es nirgends ein Versteck für einen Menschen, noch weniger für ein Pferd. Auch ohne daß sie die Dorfbewohner befragten, war es ihnen klar, daß sich de Rocheville irgendwo längs des Weges befinden mußte.

Doch wo? Wie weit voraus? Noch einen Vormittag lang und bis in den Nachmittag hinein ritten sie ohne Halt. Das Tempo war diesmal langsamer, als hätte sich der Offizier auf einen langen, anstrengenden Ritt eingestellt. Sie näherten sich dem Paß, der schwierigsten Etappe auf dem Ritt nach Schiras; doch bevor sie den steilen Abstieg begannen, machten sie in einem Dorf Rast.

Kelso ging mit dem Hauptmann zum Haus des Dorfältesten. Sie wurden gastfreundlich empfangen, doch Kelso hatte keinen Appetit auf den dargebotenen Imbiß aus Feigen und grobem Brot. Noch ehe der Hauptmann fertig gegessen hatte, sprang er auf und forderte, daß sie unverzüglich weiterreiten sollten.

»Wir wollen uns erst nach dem Franzosen erkundigen«, wandte der Hauptmann ein.

»Ja, gut. Fragen Sie ihn gleich.«

Der Offizier sprach mit dem Dorfältesten und sah Kelso dann enttäuscht an.

»Ist er hier durchgekommen?« fragte dieser.

»Ja, das ist er.«

»Wann?«

»Er meint, daß es vier Stunden her ist.«

»Vier Stunden! Dann ist er uns noch sehr weit voraus! Wir haben nichts gewonnen.« Kelso nahm seinen Hut und schnallte den Degen um. »Wenigstens wird sein Pferd müde sein.«

Der Hauptmann schwieg darauf, und Kelso fragte: »Oder hat er wieder ein Pferd gestohlen?«

»Er hat sein Pferd hier im Dorf gewechselt.«

»Dann ist er also schon an der Küste!«

Energisch ging Kelso hinaus und rief nach Padstow. Er wäre allein losgeritten, wenn der Offizier nicht seine Männer zum Aufbruch gesammelt hätte.

Gegen Abend hatten sie die Oase erreicht, wo sie auf dem Ritt von Buschir die erste Nacht gelagert hatten. Wenn der Offizier daran gedacht hatte, die Nacht hier zu verbringen, so erwähnte er das gar nicht erst. In seiner Ungeduld war Kelso schon der kurze Halt zum Tränken der Pferde zuviel.

Sie ritten weiter, konnten jedoch de Rochevilles Vorsprung nur unwesentlich verringern. Als sie kurz vor Sonnenuntergang anhielten, erfuhren sie, daß er immer noch drei Stunden voraus war. Trotz seiner Ungeduld war es Kelso klar, daß es sinnlos gewesen wäre, im Dunkeln weiterzureiten. Nach über dreißig Stunden verzweifelter Flucht mußte de Rocheville irgendwo Nachtruhe halten. In aller Frühe konnte er ausgeruht weiterreiten und gegen Mittag an der Küste bei Buschir sein. Nur ein Unfall oder ein anderes unerwartetes Mißgeschick konnten ihn daran hindern, zu seinem Schiff zu gelangen.

Bei Morgengrauen lag die Wüste unter einer dichten Nebeldecke. Lange konnten sie sich an den ohnehin schwer zu sehenden Pfad nur halten, indem sie im Fußgängertempo ritten. Dann, als die Sonne stieg und der Nebel verging, lag die ganze Küstenebene offen vor ihnen. Weit hinten grüßte die blaue, einladende See. Sie näherten sich Buschir, machten auf einer Hügelkuppe Halt und blickten den steilen Abhang hinunter zum Hafen.

Tiefe Bewegung überkam Kelso, als er weit draußen die wohlbekannten Umrisse seiner *Paragon* erblickte. »Gott sei Dank«, sagte er, »wir kommen noch zur rechten Zeit.«

Doch noch während er sprach, regte sich etwas im inneren Hafen: Drei hohe schlanke Masten mit gesetzten Mars- und Untersegeln glitten an der Pier und den dort vertäuten Fischerbooten vorbei und auf die offene See hinaus.

»Die *Lyon*«, stieß Kelso hervor. »Also hat uns de Rocheville doch noch geschlagen!«

27

Bergab reitend hörten sie den Kanonendonner und sahen, als sie an der Pier waren, wie sich beide Schiffe, jetzt schon weit draußen auf See, in Position manövrierten. Die *Paragon*, in Lee und noch weiter draußen, wirkte ganz klein gegen den mächtigen Zweidecker. Die ersten Schüsse mußten auf sehr große Distanz gewechselt worden sein, denn jetzt waren beide Schiffe nahe genug, um halbwegs genau treffen zu können. Kelso saß ab und ging zum Ende der Pier, um das Gefecht zu beobachten, das er vorausgesehen und in diesen zwei Monaten sehnlichst erwartet hatte. Padstow stand neben ihm und gab der Spannung, die sie beide fühlten, noch deutlicher Ausdruck als er.

Der Hauptmann der Leibgarde war ihnen nachgegangen. »Er wird nicht entkommen«, sagte er. »Bevor er die hohe See gewinnt, muß er an den Küstenbatterien auf der Landzunge vorbei.«

»Meinen Sie, daß die feuern wird?«

»Ja, wenn ich einen Befehl hinschicke.«

»Warten Sie noch. Vielleicht ist es nicht nötig.«

»Kann denn Ihr kleines Schiff ein doppelt so großes versenken?«
»Ich hoffe, ja.«
»Aber die Batterie schafft es bestimmt.«
»Jetzt noch nicht! Ihre Kanoniere könnten ebensogut die *Paragon* treffen wie die *Lyon*.«
»Unsere Küstenartillerie ist gut ausgebildet«, entgegnete der persiche Offizier beleidigt.

»Trotzdem kann man nicht dafür garantieren, daß sie nur das eine Schiff treffen und nicht das andere – besonders bei dieser Entfernung.«
»Was soll ich also unternehmen?«
»Schicken Sie der Batterie Instruktionen – oder besser noch, reiten Sie selbst hin. Sie soll sich feuerbereit halten, aber nur dann schießen, wenn die *Paragon* versenkt worden ist.« Kelso glaubte nicht, daß die Küstenbatterie viel ausrichten konnte. So lange die beiden Schiffe kämpften, wäre es viel zu gefährlich gewesen, eingeborene Artilleristen dazwischenfeuern zu lassen. Wenn das Gefecht vorüber war – und die *Lyon* gesiegt hatte –, würde de Rocheville bestimmt sein Schiff so schnell wie möglich außer Schußweite jeder Küstenbatterie bringen.

Jetzt wurde es, wie er sah, ernst. Die Hände auf dem Rücken verkrampft, zwang er sich, ruhig zu bleiben. Denn es war seine *Paragon*, die dort draußen um ihr Leben kämpfte – und um die Ehre ihres Kapitäns.

Die *Paragon* kam von Luv, während die *Lyon* noch schwerfällig nach Steuerbord wendete. Obwohl sie jetzt in Schußweite war, feuerte sie noch nicht; Kelso konnte sich vorstellen, wie Craig auf dem Geschützdeck stand und wartete, immer noch wartete, bis er sich der größtmöglichen Wirkung sicher sein konnte. Immer näher segelte sie heran, noch näher – und dann erschien auf einmal eine Reihe weißer Rauchwölkchen an ihrer Bordwand. Die *Lyon* schlingerte unter den Einschlägen, und erst dann wurde das Krachen dieser ersten wirkungsvollen Breitseite wie ein einziger Donnerschlag an der Küste hörbar.

»Hat ihr eine gepfeffert, bei Gott!« schrie Padstow. »Das wird die *frogs* warmhalten!«

Kelso schwieg. Er sah die Rauchwolken einer zweiten Breitseite, doch dann mußte, so viel war ihm klar, der Positionsvorteil der *Paragon* ausgeglichen sein. Jetzt konnte de Rocheville, wenn er sich beeilte, seine eigenen, viel schwereren Geschütze ins Spiel bringen.

Doch Fenton hatte offenbar andere Ideen. Als die *Lyon* mit krachenden Geschützen näher kam, verlor die *Paragon* deutlich an Fahrt. Vermutlich hatte Fenton das Großbramsegel gerade so weit backstellen lassen, daß die *Lyon* über die *Paragon* hinausschoß. Dann fuhr die *Paragon* eine Halse und feuerte eine volle Breitseite in das exponierte Heck der *Lyon*.

Vor Aufregung vollführte Padstow veritable Luftsprünge. »Bravo!« brüllte er. »Noch so eine, Jungs, und sie kann nicht mehr aus den Augen sehen!«

Wie zur Antwort auf sein Gebrüll halste die *Paragon* jetzt wieder, und zwar so schnell, daß sie die *Lyon*, die noch dabei war, sich in die richtige Schußposition für eine Breitseite zu manövrieren, wiederum erwischte: Noch einmal passierte die *Paragon* die *Lyon* achterlich und setzte ihr eine Salve ins Heck.

»Schön!« brüllte Padstow. »Wunderschön ist das, Sir!«

Doch jetzt bekam de Rocheville Gelegenheit, seine Seemannschaft zu beweisen. Während die *Paragon* noch drehte, fiel er rasch nach Lee ab. Durch dieses unerwartete Manöver würde er mindestens eine Breitseite anbringen können, und das mit einem Kaliber, das so viel schwerer war als alles, was die *Paragon* zu bieten hatte, daß sie durchaus gefechtsentscheidend sein konnte.

In voller Breite passierten die Schiffe einander, und beide Rümpfe spien Flammen. Soweit von der Küste aus zu erkennen war, hatte keines irreparablen Schaden davongetragen. Sofort nachdem die *Paragon* das Linienschiff passiert hatte, ging sie nach Backbord über Stag und feuerte eine unregelmäßige, aber wirkungsvolle Salve ins Heck der *Lyon*.

»Ihr Heckgeschütz ist bestimmt erledigt, Sir«, schrie Padstow, »so wie unsere Jungs es beharkt haben...« Eine Bemerkung, an die sich alle beide noch erinnern sollten, ehe der Tag vorüber war.

Die *Lyon* fuhr eine Wende, was Fenton vermutlich ganz gelegen kam, denn sein Schiff war viel manövrierfähiger. Nun liefen beide Schiffe aufeinander zu, und zwar so unerbittlich, daß es von Land aussah, als müßten sie kollidieren. Die Kanonen feuerten auf kürzeste Entfernung; eine Rauchwand verdeckte die Sicht.

Und dann, als die *Paragon* sich aus dem Qualm abhob, sah Kelso, daß sie schwer getroffen war. Ihr Fockmast war kurz über dem Deck durchschossen. Ein Vierundzwanzigpfünder der *Lyon* mußte ihn bei der letzten Breitseite erwischt haben. Ein schwacher Trost, daß der Treffer wenigstens nicht während der Wende erfolgt war, so daß der Mast nicht nach achtern fallen und mit seiner ganzen Takelage den Großmast funktionsunfähig machen konnte; stattdessen hing er jetzt wie ein gigantischer Seeanker über den Backbordbug. Alles kam

▪arauf an, wie schnell Fenton sein Schiff wieder klarieren würde. Kelso konnte sich vorstellen, wie es auf der *Paragon* aussah: Ungeachtet der Schreie der Verwundeten und Sterbenden, der geborstenen Kanonen, des zerschmetterten Schanzkleids würde jeder noch gesunde Mann im Vorschiff sein und mit Äxten, Bordmessern – mit allen verfügbaren Werkzeugen – in höchster Eile versuchen, den zerschossenen Mast zu kappen. Bis es soweit war, blieb die *Paragon* manövrierunfähig, ein bequemes Ziel für die Geschütze der *Lyon*.

Und jeden Moment konnte deren nächste Breitseite einschlagen. Schon kam die *Lyon* wieder auf. De Rocheville, der sich jetzt nicht mehr zu beeilen brauchte, hatte sich für sein Manöver genügend Luvraum ersegelt. Er ging bei der *Paragon* nicht längstseits, sondern segelte parallel an ihr vorbei, mit etwa zwei Kabellängen Distanz. Zweifellos wollte er vermeiden, mit ihrem zerschmetterten Mast in Kontakt zu geraten. Oder vielleicht meinte er auch, jetzt da sie hilflos war, könne er sie aus sicherer Distanz und nach Belieben versenken.

Anscheinend war genau das sein Plan, denn die *Lyon* nahm Fahrt weg und feuerte zwei Breitseiten nacheinander ab. Mit der arroganten Selbstsicherheit eines Jägers hielt sie Abstand von ihrer waidwunden Beute.

»Diese Schufte!« heulte Padstow. »Sie versenken uns! Das kann sie doch nicht aushalten!«

Doch die *Paragon* war noch nicht geschlagen. Nach der zweiten Breitseite der *Lyon* schoß sie zurück. Zwar konnte man es kaum eine Breitseite nennen, denn zu viele Geschütze waren getroffen worden, zu viele Kanoniere lagen tot auf dem Batteriedeck. Aber sie feuerte, zeigte ihre Zähne, und nach ein paar Minuten mußte die *Lyon* abdrehen.

Padstow schrie lauthals Hurra, als wäre ein Sieg errungen, aber Kelso sah mit Verzweiflung im Herzen, daß es nur eine Zeitfrage war, bis das schwere Kaliber der *Lyon* den Kampf entscheiden mußte. Das Ende konnte nicht mehr lange auf sich warten lassen – es sei denn, die *Paragon* vermochte ihren havarierten Mast zu kappen.

Nach einem weiten Bogen nach Luv kam die *Lyon* wieder näher, so nahe jetzt, als fände de Rocheville, das Gefecht habe nun lange genug gedauert und es sei höchste Zeit, diese unverschämte Fregatte zu versenken.

Sogar von der Küste aus war deutlich zu sehen, daß der Höhepunkt des Gefechts nahte: Die *Paragon* hing immer noch an ihrem tödlichen

Anker, und die *Lyon* kam zum Fangschuß heran. Die Beobachter am Strand, Fischer, Dorfbewohner, Soldaten verstummten plötzlich. Selbst Padstow brüllte nicht mehr. Und Kelsos Herz war eiskalt. Das war, wie er wußte, das Ende.

Die *Lyon* kam immer noch näher, sie feuerte nicht, sondern wartete ab, wahrscheinlich den genauen Moment, in dem ihre Steuerbordgeschütze – Vierundzwanzigpfünder, lange Achtzehner, Achterdeckkarronnaden – alle zu gleicher Zeit und auf kürzeste Entfernung schießen konnten. Angstvoll beobachtete Kelso das Drama.

Und dann, im letzten Augenblick, wendete sich das Kriegsglück. Als die *Lyon* schon in Höhe ihres Hecks war, kam die *Paragon* von ihrem zerschossenen Fockmast frei. Ihr Bug schwank nach Steuerbord herum – entweder zufällig oder absichtlich –, und die *Lyon* mußte eine rasche und gefährliche Kursänderung vornehmen, um eine Kollision zu vermeiden. War es wegen des unerwarteten Manövers oder weil die beiderseitigen Kurse den Buggeschützen nun das Schußfeld nahmen – jedenfalls brachte die *Lyon* nur eine stotternde Salve zustande. Statt des erwarteten Todesstoßes bekam die *Paragon* nur ein paar unwirksame Kratzer ab.

Trotz der momentanen Erleichterung war sich Kelso jedoch darüber klar, daß es sich nur um einen Aufschub handelte. Ohne Fockmast war die *Paragon* langsam und schwer manövrierbar, war die schwere *Lyon* jetzt das beweglichere Schiff. Verzweifelt blickte er um sich; er konnte es nicht ertragen, den Todeskampf seines Schiffes mitanzusehen, und doch war er von der Szene wie hypnotisiert, von der Erregung und der schwachen Hoffnung, daß die *Paragon* durch irgendein Wunder doch noch davonkommen möge.

»Ich habe meine Befehle gegeben.« Kelso fuhr herum. Der persische Offizier war vom Fort zurück und fügte mit einiger Bosheit hinzu: »Anscheinend werden unsere Kanonen doch noch eingreifen müssen.«

»Vielleicht«, erwiderte Kelso und sagte dann mit plötzlicher Entschlossenheit: »Ich gehe an Bord.«

»Auf Ihr Schiff wollen Sie?«

»Ich brauche ein Boot – irgendein Boot. Sie müssen mir eines beschaffen.«

»Aber Kapitän, das kann ich nicht.«

»Das können Sie und das werden Sie – im Namen des Schah!«

»Aber es gibt ja nur die da!« Er wies auf die Dhaus und Fischerboote.

»Eines davon genügt.« Kelso trat an den Rand der Kaimauer und musterte die vorhandenen Fahrzeuge.

Und in diesem Moment überkam ihn eine Idee und eine wilde Hoffnung. Er wandte sich um. »Nein, nicht eins, sondern zwei.«

Ungläubig fragte der Perser: »Zwei Boote, Kapitän?«

»Eins für mich, eins für meinen Steward.«

Der Offizier hob die Schultern. »Ich weiß ja, daß sie alle klein sind, Kapitän, aber für zwei Mann müßte doch eines –«

»Ich brauche zwei«, unterbrach Kelso. Er deutete auf zwei nebeneinanderliegende Boote, armselige Fahrzeuge, die zerrissenen Segel lose an den Masten angeschlagen. Beide Boote waren bis ans Dollbord mit Stroh beladen. »Außerdem brauche ich eine Kette.«

Es dauerte nur ein paar Minuten, um die Boote zu requirieren und sie am Bug mit einer zwanzig Fuß langen Kette zu verbinden: sie hingen locker zusammen wie zwei Hunde an einer Leine. Mit einem Streifen Wasser dazwischen liefen sie aus dem Hafenbecken aus. Jetzt bestand, wie Kelso wußte, die Schwierigkeit darin, sie beieinander zu halten, ohne sich gegenseitig aus dem Kurs zu ziehen. Er hob die Faust, um Padstow im anderen Boot zu signalisieren, und stetig, Hand über Hand, wurden die Lateinersegel gesetzt. Die Boote reagierten sofort auf den Wind, bockten aber gefährlich, als die Verbindungskette steif kam. Kelso und Padstow saßen an den langen Ruderpinnen und bemühten sich, die Boote auf Parallelkurs zu den fernen Schiffen zu segeln.

Diese Aufgabe war weit schwieriger, als selbst Kelso geglaubt hatte. Eine ganze Weile hätte er nicht sagen können, wie sich das Gefecht entwickelte. Er vernahm Geschützfeuer, das unmerklich lauter wurde, doch er mußte sich ganz darauf konzentrieren, sein schwieriges Fahrzeug zu steuern.

Dann, als er einige Übung hatte, wurde es leichter. Er konnte das Verhältnis zwischen dem Zug am Bug und dem Segeldruck besser beurteilen, und er lernte das Ruder so zu handhaben, daß diese beiden Kräfte zusammenwirkten. Erst danach konnte er seine Aufmerksamkeit wieder dem Gefecht zuwenden.

Die beiden Schiffe waren jetzt dicht beieinander. Die *Lyon*, die ihm am nächsten lag, war höchstens eine Viertelmeile entfernt. Die Sicht auf die *Paragon* wurde ihm dadurch zwar teilweise verdeckt, doch schien sie wieder ein unbewegliches Ziel für die Kanonen der *Lyon* zu bieten. Er konnte nicht sagen, welchen weiteren Schaden sie erlitten hatte; jedenfalls bewegte sie sich nicht. Übrigens schienen beide

Schiffe stillzuliegen. Das konnte er sich nicht erklären. Bei einem Schleichkampf konnte die *Paragon* nicht gewinnen. Andererseits – wenn sie tödlich getroffen war, warum ging dann die *Lyon* nicht in Position für den Fangschuß?

Dann, als sie näher heransegelten, wurde ihm der Grund klar. Aus seiner achterlichen Position konnte er sehen, daß Fenton das Ruder des Franzosen bei einem seiner schnellen Störangriffe zerschmettert hatte. Nun war sie ebenso unbeweglich wie die *Paragon*, verfügte aber immer noch über die größere Feuerkraft. Kelso sah noch etwas anderes, das ihm neue Hoffnung gab: Das Heckgeschütz, die ›lange Achtzehn‹, war zerschossen und von seiner Lafette gefallen. Das Rohr zeigte nutzlos gen Himmel. Achtern war die *Lyon* wehrlos.

Erst als sie auf knapp hundert Meter heran waren, wurden sie von der *Lyon* bemerkt; Kelso sah, wie ein Offizier auf dem Achterdeck plötzlich herumfuhr, ungläubig herüberstarrte und dann zum Kommandanten eilte. De Rocheville trat an die Reling, erkannte Kelso, zog seine Pistole und feuerte. Gleichzeitig rief er nach den Seesoldaten.

Kelso spürte seinen Puls schneller schlagen. Sie waren jetzt so nahe heran, daß er glaubte, es schaffen zu können. Wieder feuerte de Rocheville, doch Kelso wußte, daß er halb hinter dem Stroh verborgen und bei diesem steilen Schußwinkel kaum zu treffen sein würde. Er hörte nicht einmal auf de Rochevilles Schuß.

Jetzt befanden sie sich dicht vor dem breiten Heck der *Lyon*. Sie waren schneller herangekommen, als er gedacht hatte oder es ihm lieb war, denn sie mußten das Heck genau zwischen sich bekommen. Sekundenlang schien es, als gerieten sie zu weit nach Steuerbord, doch Padstow, der die Gefahr offensichtlich erkannt hatte, riß seine Ruderpinne herum. Da spannte sich die Kette auch schon gleichmäßig quer über das Heck der *Lyon*.

Beide Boote schwangen herum, so daß sie nun, jedes an seiner Seite, Planke an Planke am Rumpf der *Lyon* lagen. Von oben hörten sie erregte Rufe, Befehle und Gegenbefehle. Kelso sah nicht hinauf, denn jetzt begann der letzte Teil seiner Aufgabe. Er zog seine Pistole, stieß die Mündung tief ins Stroh und drückte ab. Gleichzeitig mit dem dumpfen Knall hörte er den zweiten Schuß von Backbord, von Padstows Seite. Die ersten Flammen flackerten aus dem trockenen Stroh.

In Sekundenschnelle war Kelsos Boot eine lohende Brandfackel. Das Feuer flammte so schnell auf, daß er kaum Zeit hatte, sich ins

Meer zu werfen. Er schwamm ein paar Stöße weg und beobachtete, wie die Flammen das Stroh fraßen, dann das Boot, und schließlich auf die geteerten Planken der *Lyon* übersprangen. Er sah auch, daß Padstows Feuer drüben sogar noch höher schlug. Schon hatten die Flammen das Achterdeck erfaßt.

Kelso empfand ein ungeheures Glücksgefühl. Irgend etwas peitschte neben ihm ins Wasser. Es dauerte eine Weile, bis er begriff, daß es Kugeln waren. Doch die Männer auf der *Lyon* hatten jetzt keine Zeit mehr, auf zwei Schwimmer zu schießen. Ihr Schiff brannte lichterloh, das Heck war ein einziger Scheiterhaufen.

Kelso schwamm zu Padstow, und beide nahmen Kurs auf die *Paragon*. Es war eine lange Strecke, länger, als sie gedacht hatten; aber er hörte das Hurrageschrei an Bord und wußte, daß die *Lyon* sank. Im letzten Moment drehte er sich auf den Rücken und sah sie, ein Flammenmeer vom Bug bis zum Heck, in dieser erschütternden Sekunde, als sie mit dem Heck eintauchte, den Bug hoch in die Luft reckte und langsam in der See versank. Fast zu Tode erschöpft erreichten sie die *Paragon*.

Kelso hörte Stimmen, bekannte Stimmen, die riefen, man sollte ihm eine Leine zuwerfen. Und als er triefend an der Bordwand hing, Padstow laut schnaufend hinter ihm, hörte er Fentons Stimme: »Faß mal einer mit zu! Du da unten, hilf den Männern!« Dann ein kurzes Schweigen, und dann ein erstaunter Ausruf: »Mein Gott! Das ist ja der Kapitän! Es ist Kapitän Kelso!«

28

Langsam kroch die *Paragon* vor der kaum spürbaren Brise dahin. Erst vor einer knappen Stunde war die Sonne aufgegangen, doch ihr Licht lag schon gleißend auf dem Wasser, und die Kimm erzitterte vor Hitze. Auf ihren verhornten Fußsohlen umgingen die Matrosen vorsichtig Ringbolzen und andere Decksbeschläge; fluchend kämpften die Geschützbedienungen mit ihren Kanonen.

Vom Achterdeck aus sah Kelso das alles: den Segelmacher, der vor der Segelkammer hockte und die Leinwand über die Knie gebreitet hatte; den Bootsmann, der die neuen Besanwanten inspizierte; und im Vorschiff einen Trupp französischer Kriegsgefangener beim Deckscheuern. In gewisser Hinsicht war der flaue Wind Kelso nicht unlieb. Die langsame Fahrt, die sie seit Buschir gemacht hatten – knapp

Alexander Kent

Richard-Bolitho-Romane

Marinehistorische
Abenteuerserie

ein Ullstein Buch

Cecil Scott Forester

Die Hornblower-Romane

ein Ullstein Buch

gemeldet, daß auch die Steuerbordbatterie wieder klar ist; an Backbord sind Nummer zwei und fünf noch nicht ganz in Ordnung.«

»Danke, Mr. Fenton.«

Fenton blieb einen Moment an der Heckreling stehen und schaute hinüber auf die blauen Berge Persiens. »Die sehen wir so bald nicht wieder, Sir.«

»Nein – das ist der letzte Blick.«

»Kann nicht sagen, daß es mir leid tut, Sir.«

»Wir sollten Ormuz heute abend erreichen«, erwiderte Kelso. »Ich gehe sofort zum Hafenmeister. Mit dem Handelsvertrag in der Tasche dürften wir kaum Schwierigkeiten haben.«

Da die Brise auffrischte, liefen sie schon am Nachmittag in Ormuz ein. Sie sahen die gleichen kleinen Fahrzeuge wie bei ihrer ersten Ankunft. Aber Fenton bemerkte ein größeres Boot, das ihnen entgegenkam.

»Das ist ein Behördenfahrzeug, Sir. Also ein offizieller Empfang.«

Er stellte das Glas auf das Boot ein; doch Kelso, der neben ihm stand, brauchte kein Teleskop, um zu sehen, wer da kam.

»Gott soll mich schützen!« rief Fenton. »Das ist ja die junge Dame, die in Buschir zu uns an Bord kam! Die Dame – wie heißt sie noch gleich, Sir... Sie wissen schon, die persische Prinzessin!«

vierhundert Meilen in fünf Tagen – erwies sich als Segen. Als die *Paragon* aus dem Gefecht kam, war sie in schlimmem Zustand. Ohne den Fockmast und seine Takelage mit den großen Löchern im Schanzkleid und im Deck, mit losgebrochener Großrah und weggeschossener Besanbramrah hatte es zunächst so ausgesehen, als würde sie nie mehr ein ordentliches Schiff werden.

Doch fünf Tage hatten genügt, um diese Befürchtung zu entkräften. Von Fenton, diesem Muster eines Ersten Offiziers, bis zum jüngsten Pulverjungen hatte jeder an Bord geschuftet, um das Schiff wieder kampftüchtig zu machen. Vieles blieb noch zu tun – sie hielten jetzt Kurs auf Ormuz, wo sie einen neuen Fockmast setzen lassen konnten –, doch die *Paragon* war wieder seetüchtig und konnte, wenn Not am Mann war, auch im Gefecht ein kräftiges Wort mitreden. Es war allerdings kaum anzunehmen, daß sie auf feindliche Schiffe stoßen würden. Da die *Lyon* versenkt war, gab es im Persischen Golf und südlich bis Bombay buchstäblich keine französischen Seestreitkräfte mehr. Die Franzosen würden kaum ein anderes Linienschiff entbehren können, um die *Lyon* zu ersetzen. Und de Rocheville war tot.

Kelso hoffte auf schnelle Reparaturen in Ormuz und auf eine rasche Heimreise nach Bombay. Da er seine Mission beendet hatte, wollte er möglichst schnell seinen Bericht abgeben und sich neue Segelorder holen. Er überlegte bereits, wo es hingehen würde: möglicherweise wieder mit einem Konvoi nach St. Helena oder ostwärts nach Madras, oder noch weiter bis nach Bengalen, wo die Franzosen noch ein paar Kriegsschiffe hatten. Und dann die Unbequemlichkeit mit den etwa hundertfünfzig französischen Kriegsgefangenen, die er aufgefischt hatte und die nun unter Deck zusammengepfercht waren. Verpflegung war das eine Problem, das andere war Trinkwasser. Selbst wenn er die Franzosen tagsüber truppweise an Deck ließ, würden sie bis Bombay in ziemlich schlimmer Verfassung sein. Hoffentlich starb ihm keiner unterwegs.

Was die Gefallenen seiner eigenen Mannschaft betraf, so waren sie, säuberlich in ihre Hängematten eingenäht, am Morgen nach dem Gefecht zur letzten Ruhe gebracht worden – vier Tage war das her. An sie dachte Kelso, wenn er zur Ruhe kam, mit echter Bewegung. Doch meistens hatte er so viel im Kopf, daß er nicht an diese Tapferen denken konnte, deren jeder ein Stück der *Paragon* gewesen war.

Fenton, der Verläßlichste von allen, kam soeben aufs Achterdeck, und Kelso wandte sich ihm zu.

»Gesamte Takelage überprüft, Sir, alles klar. Mr. Craig hat soeben